Dior

PASARELA

Dior

PASARELA

Las colecciones

De Christian Dior a Maria Grazia Chiuri
a través de 1100 fotografías

BLUME

Contenido

Las colecciones

Christian Dior

Yves Saint Laurent

Marc Bohan

Bill Gaytten

Raf Simons

El estudio

Maria Grazia Chiuri

Introducción

«Sin fundamentos, no puede haber moda»

El auténtico momento en cuanto a moda está muy mitificado. A pesar de las aseveraciones de la industria de la moda sobre lo contrario, ha habido muy pocos. Y eso ocurre porque el auténtico momento de la moda requiere que se materialicen un complicado conjunto de circunstancias, para metamorfosear una mera exposición de prendas en algo que incite al entorno cultural a fijarse en ella, porque resuena a mayor escala. El auténtico momento de moda debe traducir lo efímero en algo material, crear prendas que de alguna manera expresen las esperanzas, los temores y las aspiraciones del allí y entonces. A menudo se profetiza un momento de la moda, pero solo un puñado de diseñadores —incluso los más grandes entre los grandes— pueden afirmar haberlo logrado.

Los numerosos «momentos» de la moda propuestos rara vez se identifican como tales con tanta precisión como lo que ocurrió el 12 de febrero de 1947, cuando una joven casa de alta costura, que llevaba el nombre de su fundador, Christian Dior, presentó una colección de alta costura para primavera en un París aún en pleno invierno. El taller de Dior se había fundado apenas dos meses antes, financiado por el millonario magnate textil Marcel Boussac, y concebido por Dior desde sus inicios como un taller pequeño y exclusivo, dedicada a la ropa de *grand luxe*. Tanto la metafórica *maison* de *couture* como la casa física en sí misma, en el número 30 de la *avenue* Montaigne, se habían preparado a toda velocidad. El último golpe de martillo se escuchó en el momento en el que los primeros clientes y la prensa entraban a los salones.

«Quería una casa en la que absolutamente todo fuese nuevo», recordaba Christian Dior una década más tarde, en su autobiografía *Dior by Dior*. «Desde el ambiente y el personal, hasta los muebles, e incluso la dirección. A nuestro alrededor, la vida comenzaba de nuevo: era el momento de crear una nueva tendencia en la moda». Lo nuevo era lo que Dior representaba, para la moda en general y para París en particular. Una nueva moda, para una nueva era, que eliminaba la austeridad de la posguerra. La ropa de Dior se presentaba en un salón recién pintado en un suave tono gris, con un decorado neoclásico a años luz del modernismo color miel de Gabrielle Chanel en la *rue* Cambon, o los ambientes fiesteros surrealistas (vistosas alfombras de color fucsia, aparadores instalados por Salvador Dalí) en la Place Vendôme de Elsa Schiaparelli. Las modelos de Dior también se movían de manera distinta, con mucha gracia al caminar, una delicia. Dior era el hogar de lo nuevo.

El mismo diseñador no tuvo la temeridad de decir que su ropa era nueva. Esto fue obra de la fascinada editora en jefe de la edición estadounidense de *Harper's Bazaar*, Carmel Snow, quien ensalzó a Dior por los vestidos que tenían un aspecto tan novedoso. Pero la colección que Dior presentó entonces —y en ese lugar— fue más que eso. Fue una revelación, una revolución, el momento supremo de la moda. Ignorando la moda del pasado reciente, Dior creó algo profundamente diferente: una impresión de suavidad, de fragilidad, de la *femme fleur* (mujer flor), unos corpiños muy ajustados, como si fueran capullos que enmarcan una cintura diminuta y enfatizan el pecho y las caderas, con la falda en extensión como una flor, que se inflaba hasta la mitad de la pantorrilla.

Carmel Snow tenía razón. En la colección todo era nuevo. Borraba el pasado reciente. Si los hombros habían sido cuadrados, los de Dior eran redondeados; si los zapatos tenían gruesas plataformas y los sombreros parecían pilas de fruta, flores y bagatelas, de repente los tobillos eran delicados, la sombrerería, simplificada. La abundancia de tejido, más que otra cosa, representaba un alejamiento de los recortes y los ahorros, del reciclaje que representaba la época de la posguerra. Las prendas de Dior miraban hacia un futuro brillante. ¿El modelo principal de la colección? *Le Tailleur Bar*, una chaqueta de curvas suaves, de seda salvaje en color marfil, con el cuerpo acolchado para darle rigidez y separarlo de las caderas, sobre una falda plisada hecha con cuatro metros de lana negra. Constituía una imagen indeleble, una que aún perdura entre nosotros, setenta años más tarde. «Bar» representa a la vez la encarnación de la feminidad, la supremacía de la alta costura y la fuerza de la moda.

Y más que nada, tenía un aspecto *nuevo*.

∴

El momento de la moda de Dior fue definitivo, la moda perfecta, perfectamente calibrada. «Ningún hombre puede superar su propio tiempo», dijo el filósofo Georg Hegel, «porque el espíritu de su tiempo es también su propio espíritu». El inmediato y espectacular *succès fou* de Dior, y su momento de la moda, puede reducirse a eso, a la encapsulación que hizo Dior de las esperanzas y los sueños de toda una época, en especial en Europa, y específicamente en París. Contrario a la naturaleza temporal de la moda —y ciertamente de la moda como definitoria de la época en la que debutó el diseñador—, el momento de la moda de Dior ha sobrevivido a sí mismo, e incluso al diseñador.

El debut de Dior no tuvo precedentes, y su influencia no tiene parangón. Ningún diseñador antes que él, o desde entonces, ha ejercido tanto poder de manera tan inmediata. «Nunca en la historia de la moda, un solo diseñador había provocado una revolución semejante en su primer pase», declaraba la revista *Time*, habitualmente cauta, en marzo de 1957, una década después del triunfo de Dior y solo seis meses antes de su muerte. Ese mes, puso a Dior en su portada: el primer diseñador en su historia. Afianzó su relevancia y reconocimiento global.

El genio del *New Look* de Dior radicaba en su absoluta seguridad sobre su propuesta, porque, como afirmó Hegel, su espíritu estaba fusionado con el de su época. Lo que hizo Dior, lo que resultaba tan novedoso, era ofrecer un bálsamo a un mundo herido, desgarrado por la Segunda Guerra Mundial, barriendo los miedos y restricciones que aún perduraban. Como escribió en su autobiografía:

«Resultó que mis propias inclinaciones coincidieron con la tendencia de la época y así adquirieron una importancia adicional... Apenas estábamos saliendo de una época de escasez, azotada por la pobreza, obsesionada por las cartillas de racionamiento y los cupones para ropa: fue natural que mis creaciones tomaran la forma de una reacción en contra de esta carestía de imaginación... Europa estaba cansada de tirar bombas y ahora solo quería lanzar fuegos artificiales».

El medio de Dior era la alta costura. Quizá habría tenido un menor impacto si se hubiese tratado de arte, en contra del expresionismo abstracto prevaleciente de Willem de Kooning y Jackson Pollock, quienes comenzaron a pintar sus cuadros radicales empleando la técnica de «goteo» el mismo año del debut de Dior. Esto se debe, a pesar de su sobrenombre, a que el *look* de Dior no tenía nada que ver con la novedad, sino con el contraste con las tendencias prevalecientes en esa época. Se trataba de la reminiscencia y la fantasía, de borrar la dureza del presente, echando un vistazo al pasado. «En diciembre de 1946, como resultado de la guerra y los uniformes, las mujeres aún parecían y se vestían como amazonas», explicaba Dior en su autobiografía. «Yo diseñaba ropa para mujeres que parecían flores».

El radicalismo de Dior estaba arraigado en la nostalgia: su *New Look* revivió las técnicas que se había empleado por última vez en la época eduardiana, y las siluetas que evocaban el Segundo Imperio, cuando nació la alta costura de las manos de otro hombre, Charles Frederick Worth. También se hacía eco del desarrollo de las modas modernas: antes del estallido de la guerra, los diseñadores habían comenzado a experimentar con estilos inspirados en el siglo XIX, con faldas más amplias y corsés que marcaban una cintura de avispa, aunque siguiendo la tendencia de la época, con unos hombros más cuadrados.

El mismo Dior, quien en 1937 diseñaba para la casa de Robert Piguet, creó un estilo suavemente curvado, con cinturas muy definidas y faldas amplias, anticipando el *look* que daría fama mundial a su nombre. Uno de sus primeros diseños, denominado «Café Anglais», estaba compuesto por un vestido de falda amplia en *pied de poule* (pata de gallo) ribeteado con encaje de lencería, una combinación de textil masculino y forma femenina, de sastrería y vaguedad. No solo hacía presagiar el debut de Dior en 1947, sino la totalidad de su carrera. Ese vestido de Piguet fue, por supuesto, todo un éxito, al igual que los mismos elementos volverían a serlo, una y otra vez, bajo la marca «Christian Dior». Su trabajo posterior, para Lucien Lelong, entre 1941 y 1946, seguiría una línea similar, marcando una silueta en la clientela de Lelong, que parecía más suave, más femenina. Nueva.

Sin embargo, el impacto de febrero de 1947 −el momento de la moda particular de Dior− no puede subestimarse. La prensa de la época elogiaba a Dior. Los laureles se acumulaban. «Lo que ahora todos querían de París», decía con entusiasmo Bettina Ballard de *Vogue*, Estados Unidos. «Un Napoleón, un Alejandro Magno, un César de la costura». El sucinto resumen de su contemporánea Carmel Snow, de *Bazaar*, fue: «Dior salvó a París». En 1956, según describe la escritora y curadora Alexandra Palmer, la casa Dior era responsable de la mitad de las exportaciones francesas de alta costura a Estados Unidos, y en 1958 daba empleo a 1500 personas. Según la revista *Time*: «[Dior] es Atlas, que sostiene toda la industria de la moda francesa».

∴

Si el auténtico momento de la moda consiste en convertir de repente lo intangible en algo tangible, las perdurables improntas de Christian Dior son duales: por una parte, concretas, por la otra, ideológicas. Una silueta frente a una sensibilidad.

La silueta de Dior es sólida, abocetada con facilidad, reconocible de inmediato, compuesta por una cintura estrecha y una falda amplia, la forma de *mujer*. Permanece incrustada en la imagen monocroma de *Le Bar* y su grandilocuente curvatura fastuosa, una forma tallada enfáticamente gracias al meticuloso trabajo que solo es posible en la alta costura parisina. Christian Dior afirmó en una ocasión que su deseo era salvar a las mujeres de la naturaleza: «Bar» enfatiza la naturaleza, pero también la exagera, creando una versión idealizada de la forma femenina, elaborada por la mano del hombre.

La artesanía inherente en la creación de la silueta de Dior es otro de sus sellos distintivos. Dior fundó su casa bajo los principios de volver a las habilidades perdidas o ignoradas, en la tradición del gran lujo, según dijo él mismo. Los trajes de Dior eran como la arquitectura o la ingeniería: eran obras maestras de diseño. La especificidad de cada creación de Dior enfatizaba el dominio del conocimiento francés: incluso hoy en día, las técnicas y los artesanos que participaron en los diseños de Dior solo se pueden encontrar en Francia, trabajando para la alta costura. Desde la década de 1960, el reto ha consistido en trasladarlo al *prêt-à-porter* y a los accesorios: John Galliano comparó la alta costura con la *essence absolue* o el perfume puro, con su potente fuerza y lujo, dando forma a la creatividad de las numerosas líneas adicionales que hoy en día constituyen el sustento de Dior, como el *eau de parfum*.

Junto con la silueta de *Le Bar* y la destreza superlativa del taller, hay otros emblemas de Dior: claves estéticas sutiles, códigos, que constituyen, sin lugar a dudas, la identidad de la casa. Unos provocadores atisbos de lencería, del salto de cama; la combinación del delicado encaje con las resistentes lanas; el empleo de telas masculinas –franelas, *tweed*, cuadros Príncipe de Gales– para contrastar con las gloriosas formas femeninas. Las flores, al igual que los estampados, incorporadas a los escotes o los bajos, o sublimadas en la forma de un vestido que parece crecer orgánicamente alrededor del cuerpo de una mujer. Y una gama cromática: un estridente rojo geranio, el color de la suerte para Dior; un rosa igual al yeso del exterior de su casa de la infancia en su ciudad natal de Granville; y una bulliciosa sinfonía de grises, los colores que para Dior eran los más elegantes en la costura. Estos grises recuerdan el mar y el cielo de la costa de Normandía, donde se asienta Granville, pero para Dior eran «muy París». Un tono gris perla, aún en las paredes de la *avenue* Montaigne, parece cambiante bajo la luz de París: se ha relacionado tanto con esa casa que ahora recibe el nombre de «gris Dior».

Estos códigos, estos emblemas inesperados, el lenguaje visual de la casa de Dior, han obsesionado a los sucesores del diseñador desde la década de 1980 hasta la actualidad: Gianfranco Ferré, John Galliano, Raf Simons, María Grazia Chiuri. Su trabajo ha consistido en relatar una historia nueva, con una nueva voz, pero a través del vocabulario de Dior. Ellos no conocieron a Monsieur Dior íntimamente, como Yves Saint Laurent o Marc Bohan, ellos asumieron la responsabilidad en frío. Su trabajo, cada temporada, ha consistido en volver a dar vida a Dior.

«Nos veo como guardianes de su espíritu, conservadores de sus sueños», dijo John Galliano en 2007, una década después de tomar las riendas de la *maison*. Se refería a sus predecesores, pero sus subsecuentes sucesores se han acercado al legado de Dior de una manera similar. Raf Simons se refería a sí mismo como «cuidador»; María Grazia Chiuri se denominó «curadora» al debatir sobre su primera colección *prêt-à-porter* para la primavera/verano de 2017, al iniciar el año de celebraciones para conmemorar el septuagésimo aniversario de Dior. A través de cada una de sus colecciones, puede apreciarse el hilo de Dior, trazando sus siluetas principales, dejando traslucir la elección de colores de Dior en las prendas. Quizá ese hilo es tan efervescente como su fragancia, Diorissimo, con el intenso aroma de la flor favorita de Dior, el lirio de los valles. Solía colocar una ramita en el interior de los dobladillos de sus vestidos, para darle suerte.

Dior estaba obsesionado con las supersticiones, con lo inmaterial, lo intangible e impalpable. Comenzó su autobiografía, encomiando su buena suerte: no tomó ninguna decisión crucial en su vida sin consultar a los clarividentes, tocando madera y aferrándose a talismanes. Creía apasionadamente, y por encima de todo, en el poder del destino. Ese es el motivo, junto con el legado material de Dior, por el que se encuentra lo cerebral e indefinible. La firma de Dior no solo está incrustada en los dobladillos de sus prendas, en los hechos y detalles prácticos de las telas, su corte y su construcción; la personifica una actitud, una cierta psicología, un estado mental.

Dior representa el romance, la seducción, la fascinación. Todos ellos abiertos a la interpretación, por lo que se pueden representar de varias maneras a través de una prenda. Pueden ser evidentes en un fluido vestido de fiesta o en un traje pantalón de corte afilado o una chaqueta de cuero negro, todas las cuales han aparecido con el nombre «Christian Dior». El trazo más simbólico continúa siendo las líneas ondulantes de «Bar», pero esas nociones representan la *ideología* de Dior, no los códigos visuales de la casa, sino los procesos de pensamiento, las creencias que hay detrás de ellos.

Esa sensibilidad es el elemento vital que permite comprender el atractivo de Dior entonces, ahora y mañana. Se trata de mucho más que una silueta: se trata de un conjunto de ideales, originalmente integrados en esa silueta, aunque extraíbles con facilidad. La identidad de Dior está presente en los sinuosos vestidos cortados al bies de John Galiano, en la fluidez mercurial de su diseño, que aligera la construcción de Dior para los clientes modernos; en los impecables trajes de pantalón de Raf Simons, una valiente visión novedosa de la feminidad para el siglo XXI; en la fusión de feminidad y feminismo de Maria Grazia Chiuri, la ropa informal combinada con la alta costura. Es Dior por excelencia, al punto que incluso ha llegado a cruzar las fronteras de género: cuando Hedi Slimane fundó la línea Dior Homme en 2000, trasladó el mundo fundamentalmente femenino de la alta costura al guardarropa de un hombre, con sedas flexibles, construcciones ligeras, ramilletes de piel construidos por el diseñador *plumassier* Lemarié. Incluso en el atuendo masculino de Dior, el mensaje resuena con el poder de lo eternamente femenino.

∴

La moda se ha fracturado y fragmentado desde el debut de Dior: ningún otro diseñador podría, por sí solo, afectar el curso de toda una industria y transformar la manera de vestir del mundo, ni en su primera colección ni de otra manera. El mismo Dior no lo volvió a conseguir, aunque trabajó durante diez años más, estableciéndose como un árbitro del buen gusto para las mujeres del mundo, y su reputación como «la General Motors del negocio de la alta costura». En el momento de su muerte en 1957, los beneficios anuales de la casa Dior rondaban los 20 millones de dólares. Este milagro de diez años de moda deja un interrogante en el liderazgo de la alta costura, declaró *The New York Times*, por encima de la letanía de líneas creadas por Dior, lo que destaca la influencia del modista fallecido en esa década. «Este hombre tímido, rosado, rollizo, el diseñador parisino más rico y con mayor éxito de todos los tiempos, deja atrás el mayor imperio de la moda del mundo», afirmaba.

Desde 1984, Bernard Arnault ha dirigido el negocio de Christian Dior, ha recuperado la fortuna de la casa de manera espectacular y ha colocado a distintos diseñadores para dirigir la marca. Cada elección, audaz y valiente, ha llevado a Dior precisamente a constituir el talante dominante en cada momento. Consiguen que la casa sea líder, y no seguidora. El reto para esos sucesores de Dior —han sido seis los directores artísticos en los sesenta años que han transcurrido desde la muerte de Monsieur Dior, junto con dos períodos de un año dirigidos por el estudio— pueden considerarse en la misma situación a la que se enfrentó el mismo Dior: estar a la altura de ese *New Look*, ese momento de la moda que les superó a todos. Sin embargo, esto no es solo imposible, sino innecesario.

El filósofo Walter Benjamin afirmaba que «la moda es la eterna recurrencia de lo nuevo». Y la historia de Christian Dior es una historia de revolución; no solo de un *New Look*, sino de miles. El mismo Dior revolucionó la moda temporada tras temporada durante las décadas de 1940 y 1950, abandonó el *New Look* en favor de unas ambiciosas líneas arquitectónicas, transformó a las mujeres bianualmente en diferentes formas abstractas. Después de su muerte, bajo la dirección de Yves Saint Laurent, la casa disfrutó de un nuevo triunfo, otro nuevo *look* para celebrar; tres años más tarde llegó el turno a Marc Bohan; en 1977, a John Galliano. Y así sucesivamente. Cada uno de los diseñadores de Dior busca atrapar un toque de la magia que explotó el 12 de febrero de 1947, para hacer justicia al poder mágico del nombre «Christian Dior».

Testamento y clave para su creatividad es la plataforma del espectáculo de la pasarela. Las primeras colecciones de Dior se presentaban en los abarrotados salones del número 30 de la *avenue* Montaigne. Como gran creador de tendencias de la moda cuyas creaciones determinaban el curso de la moda contemporánea, Dior –la casa y el hombre– sentía temor por los imitadores y restringía tanto la asistencia como la de estos primeros espectáculos, en línea con las reglas de la Chambre Syndical de la Haute Couture, el cuerpo regulador de la industria de la moda en Francia. Las imágenes de las pasarelas de este período no siempre se encuentran disponibles, de ahí algunos de los posados en estas páginas: la moda solía representarse a base de dibujos en la prensa popular, y quedaba inmortalizada más tarde por fotógrafos como Irving Penn o Richard Avedon. Pero conforme el espectáculo fue evolucionando como tal en las décadas de 1970 y 1980, adquiriendo cada vez más importancia y visibilidad, la casa Dior abrió la puerta de sus salones. Y estuvo a la altura del desafío, presentando algunos de los espectáculos de pasarela más impresionantes de la historia. Para el debut de John Galliano en 1997, el Grand Hotel se transformó en un facsímil de los salones de Dior, aunque a mayor tamaño, drapeados con 800 metros de tela en gris Dior y adornada con 4200 rosas. En 2012, Raf Simons encargó al florista de Amberes, Mark Colle, que decorara una serie de salones en un *grand hotel particulier* con más de un millón de flores –espuelas de caballero, orquídeas, mimosas, rosas– para su primer pase de alta costura con Dior. Dior ha presentado espectáculos de pasarela en trenes de vapor parisinos, en *dohyōs* de sumo y en los palacios de Blenheim y Versalles. Los espectáculos de esta casa han redefinido el término «espectacular» en lo que concierne a la moda. Lo único que podía superar esos espectáculos eran sus prendas.

∴

De la misma manera que los diseños de Gabrielle Chanel han sido aclamados como un estilo, un «look», más que meras prendas, el trabajo de Christian Dior suele considerarse la apoteosis de la moda. El triunfo de la casa está ligado, inextricablemente, con un lugar y tiempo en particular, totalmente emblemático de un momento en la historia –o un momento de la moda– de un hombre que cambió el aspecto del mundo. Nos dicen que las modas son pasajeras, pero que el estilo es eterno. Sin embargo, Dior –la casa de moda definitiva, con la declaración de moda definitiva– ha superado cualquier expectativa, ha roto cualquier tendencia y ha trascendido a la moda. Setenta años después del espectacular debut de su genio fundador, y sesenta años después de su muerte, la casa de Christian Dior sobrevive, indestructible. Y así lo hace el legado de su *New Look*, un momento de la moda que, por el contrario, se volvió eterno.

Alexander Fury

Las colecciones

Christian Dior

Recurrir a lo nuevo

Un revolucionario reticente, hombre de negocios virtuoso y creativo asombroso; el hombre que quería que las mujeres volvieran a soñar. Christian Dior –un nombre mágico que Jean Cocteau apodó «de Dios y oro» (*Dieu* y *or*, en francés)– supuso un cambio sísmico en la moda. Volvió a recuperar el dominio de París en la industria del paisaje cultural de la posguerra; reivindicó la excelencia incomparable de la alta costura frente a una marea creciente de manufacturas en masa; y por supuesto, transformó la forma de vestir de las mujeres. Lo hizo desde las primeras prendas que llevaron la marca Dior: su primera colección, para la primavera / verano de 1947, un dúo de líneas que el mismo Dior denominó «8» y «Corolla», pero que la historia conoce como *New Look*.

La historia de la vida de Dior se ha contado muchas veces y ha sido muy mitificada. Nació el 21 de enero de 1905 y creció en la sólida tradición burguesa en Granville, una pequeña ciudad en la costa de Normandía, al noroeste de Francia. Su padre, Maurice Dior, estaba al frente de la empresa familiar, fundada dos generaciones antes, dedicada a la fabricación de fertilizantes. Su madre, de soltera Marie Madeleine Juliette Martin, era un parangón de elegancia. Sin embargo, la infancia de Dior no dejaba entrever al modista en el que se convertiría, salvo un interés por la ropa, una prodigiosa aptitud para el dibujo y un deseo de estudiar arte que fue rechazado por sus padres. En cambio, esperaban que siguiera el ejemplo de su tío Lucien, un miembro del Parlamento, y así fue matriculado en la Escuela de Ciencias Políticas de París en 1923. Nunca llegaría a examinarse.

En cambio, en 1928, Maurice Dior adelantó a su hijo varios miles de francos para abrir una galería de arte, en apoyo de Dalí, Giorgio de Chirico y Picasso, entre otros. Cerró en 1931. Abrió una segunda galería en 1932, pero volvió a cerrar en 1934, después de que la Gran Depresión diezmara la fortuna de la familia Dior. A mediados de la década de 1930, un Dior sin blanca se tuvo que dedicar a la costura para ganar dinero, e inicialmente vendió sus esbozos como *freelance* y posteriormente trabajó para Robert Piguet y Lucien Lelong como diseñador. Su trabajo tuvo un éxito fenomenal desde un inicio: unos diseños, de un desconocido, a los que las casas de moda sacaban partido y ejecutaban bajo su propio nombre. Sin embargo, la identidad de Dior como creador de los estilos comenzó a conocerse.

En 1946, Dior conoció al magnate textil Marcel Boussac, el rey del algodón y el hombre más rico de Francia, para comentar una propuesta para restablecer una antigua casa de nombre Philippe et Gaston, ahora olvidada salvo por el papel que desempeña en la historia de Dior. Christian Dior rechazó la oferta, salvo que la casa llevara su nombre. El 16 de diciembre de 1946, con el apoyo de Boussac, la casa de Christian Dior abrió en el 30 de la *avenue* Montaigne. Su debut tendría lugar con las colecciones de primavera / verano de 1947. El resto es historia: una década de innovación y experimentación deslumbrantes con su fundador, un tiempo durante el cual la casa Dior ascendió hasta la cúspide de la industria de la moda. Esta aseveración no es solo creativa; también es comercial. En 1949, Christian Dior representó el 75 por ciento de las exportaciones de moda francesa y el 5 por ciento del total de las exportaciones de Francia. El negocio era muy extenso.

El *New Look* fue el mayor triunfo de Dior. La tarde después de su espectacular inauguración, el artista Christian Bérard supuestamente susurró: «Mañana comienza la angustia de estar a la altura y, si es posible, mejorarte a ti mismo». Dior presentó línea tras línea que sirvieron para establecer su supremacía en la alta costura: «Huso», «Oblicua», y un alfabeto de formas gráficas: «A», «Y», «H». Adoraba las prendas muy estructuradas y complicadas. Sus colecciones se componían de siluetas espectaculares y geométricas, conseguidas por lo general a través de unas elaboradas técnicas de sastrería y soporte. Se decía que un vestido de Dior podía sostenerse solo debido a su formidable arquitectura interna. Sin embargo, exteriormente, los vestidos de Dior eran plácidos y señoriales, todo un contraste con la vertiginosa velocidad de cambio entre las líneas, que definió la noción del ideal de moda siempre volátil, en contraposición a la suave evolución de las décadas anteriores. Dior era nostálgico en su estética, pero decididamente vanguardista en su actitud frente a la moda.

Cuando murió a causa de un infarto en 1957, después de una turbulenta década, Dior no solo dejo un imperio de la moda que llevaba su nombre, sino a toda una industria de la moda marcada por su impacto. El triunfo que, finalmente, nunca pudo superar, tampoco fue sobrepasado por los talentos que le sucedieron. Dior continúa siendo el único hombre que realmente hizo que el mundo tuviera un nuevo aspecto.

Alexander Fury

El *New Look*
(Líneas «Corolle» y «8»)

En la mañana del 12 de febrero de 1947, las multitudes
se reunieron en la *avenue* Montaigne de París para
el último pase de alta costura de la temporada, el de
la recién fundada casa de Christian Dior. La editora
de *Vogue*, Bettina Ballard, al adentrarse en los salones
grises recién pintados, recordó ser «consciente de una
tensión eléctrica que nunca antes había sentido en
la alta costura».

La inauguración de la primera colección de Dior
estuvo a la altura de las expectativas. Ballard
continúa: «La primera chica salió, con paso rápido,
volviéndose con un provocador movimiento de
vaivén, como un remolino en la atestada habitación,
derribando los ceniceros con el intenso revuelo de
su falda plisada y llevando a todo el público hacia
el borde de sus asientos para no perderse un ápice
de esta trascendental ocasión».

Con una duración de más de dos horas (una colección
de alta costura de Dior solía estar compuesta por
más de 200 diseños) a pesar del rápido paso de las
modelos, la colección fue motivo de titulares en todo
el mundo. La edición parisina del *New York Herald
Tribune* la denominó «sensación de la temporada»,
aunque su mayor defensora en la prensa fue Carmel
Snow, editora de *Harper's Bazaar*, quien declaró: «Es una
auténtica revolución, querido Christian. Tus vestidos
tienen un auténtico *New Look*», acuñando el término
que haría historia en la moda.

Las notas de prensa originales para la colección
(escritas por el mismo Christian Dior) describían
las dos siluetas principales: la línea «Corolle» (corola)
(«como para un baile, con falda amplia, destacando
el busto y la cintura ajustada») y la línea «8» («limpia
y redondeada, enfatizando el busto, cintura marcada,
caderas acentuadas»). Las líneas de esta primera
colección de primavera son típicamente femeninas
y diseñadas para favorecer a aquellas mujeres que la
lleven, continuaba Dior. «Las faldas son destacadamente
más largas, las cinturas están claramente marcadas,
las chaquetas a menudo son más cortas: todo ello
contribuye a afinar la silueta». Los colores principales
se describían como «marino, gris, crudo y negro».

La primera colección de Dior fue un rotundo éxito y
llegó a la portada de la edición para Estados Unidos
de *Vogue*, quien también fotografió el icónico traje
«Bar» (página siguiente) para su informe parisino.
«No había "pequeños vestidos sencillos" y tampoco
diseños destacadamente exagerados. Es más, cada
modelo había sido construido con un profundo
conocimiento de la técnica, logrando una figura
exageradamente femenina, incluso no siendo así
por naturaleza».

«La inauguración de la nueva casa de Christian
Dior en París... no solo presentó una colección
extraordinariamente hermosa: aporta a la alta
costura francesa una nueva confianza en sus propias
capacidades», concluía *Vogue*.

«El *New Look* llevado al extremo»

«Dior ha repetido su primer éxito de hace cinco meses», proclamaba *Vogue*. «Su segunda colección demuestra que no es bueno solo en ocasiones. Para caracterizar su colección: lo que suele ser verdad en el diseño parisino esta temporada resulta particularmente válido en Dior. La forma es la forma de Dior».

«Cuerpos entallados, hombros prácticamente sin hombreras y muchos metros de tela» es como la revista describió la silueta de Dior, y denominó su nueva línea (con «la eliminación de la hombrera... las importantes formas bajo las telas: la construcción de la redondez, de los corsés en la cintura, y la manera en la que modernizan la figura y modifican la forma en la que una mujer camina y se sienta») «el cambio más notorio en la moda en más de una década».

Las anotaciones originales escritas por la casa subrayaban la importancia de los «hombros suaves, bustos destacados, cinturas finas, caderas redondeadas». Entraban dos siluetas en contraste: «mujer tallo o mujer flor». La primera se expresaba en «la estrecha silueta perfilada en la línea bautizada "Derrière de Paris", y la segunda como "silueta Corola", en la que «las curvas crean una forma de tulipán».

«Tome la línea redondeada de las caderas de la última temporada, unos hombros estrechos, la cintura marcada, una falda más larga, y enfatice cada una de ellas: acentúe el pecho, el *derrière*, añada un sombrero ladeado, y habrá compuesto la imagen de la forma parisina para la nueva temporada», informaba Míster.

Los «paneles de petalos» plisados se insertaban en las largas faldas, y había varias asombrosas chaquetas acolchadas con peplum combinadas con faldas de tubo. Entre los accesorios principales se encontraban «sombreros ladeados» (podía tratarse de una boina, un casquete o un tocado, pero que abrace un lado de la cabeza, deje completamente al descubierto el otro lado, en el cual el cabello se recoge en una mata o un bucle) y «brillantes descomunales a modo de collar», añadía *Vogue*.

«Se trataba de una colección alocada de faldas inmensamente amplias, inmensamente largas, el *New Look* llevado al extremo». Christian Dior escribió más tarde en su autobiografía, *Dior by Dior*, «Los vestidos consumían una cantidad fantástica de tela, y en esta ocasión llegaban directamente hasta los tobillos. Las chicas podían afirmar con seguridad que contaban con todos los adornos que pudiera llevar una princesa de cuento».

«Parecía que había vuelto otra vez una época dorada», continuaba el diseñador. «La guerra había desaparecido de la vista y no había otras guerras en el horizonte. ¿Qué importaba el peso de mis lujosas telas, mis pesados terciopelos y brocados? Cuando los corazones se aligeran, el peso de las telas no podía sobrecargar ningún cuerpo. La abundancia aún era algo demasiado novedoso para que se desarrollara un culto por la pobreza a partir de un esnobismo invertido».

Las líneas «Zigzag» y «Envol» («Despegue»)

«En la primavera de 1948 llegó la línea "Zigzag", que daba a la figura el aspecto animado de un dibujo», escribió Christian Dior en su autobiografía. Junto con esta silueta «Zigzag», la nueva colección también introdujo la línea «Envol», caracterizada por «una plenitud distribuida de forma desigual, que se alza al caminar y con caída hacia la espalda», según las notas originales sobre la presentación.

«En Dior», escribía *Vogue*, «el interés de la falda se desplazó hacia la espalda». La revista también destacaba en su informe parisino «un mayor enfoque debajo de la cintura, menos énfasis en el busto» y «más vestidos americanos con cuerpo abotonado».

La colección fue descrita como «magnífica»: *The New York Times* explicaba que «la plenitud, en lugar de ser el resultado de una gran cantidad de tela como en los vestidos corola originales, se extiende de manera rígida como una tienda, porque la tela, lanas suaves, tafetanes, *shantung* natural o suaves sargas con lunares, está reforzada con bucarán o cañamazo, como si la hubiesen encolado encima».

«Faldas, peplum, la espalda de las chaquetas amplias y abrigos tres cuartos ondean con una gracia rigidizada», continuaba el periódico. «Pero en esta versátil colección, el vestido estilizado tiene su lugar. Los más sensacionales son unos vestidos de calle, clásicos al frente, pero con un ala rígida que destaca en la espalda, de manera atrevida a la altura del polisón, pero estrechándose hacia el bajo».

Los trajes de noche también eran motivo de elogio. Los nuevos vestidos de noche, tanto en versión entallada como amplia, harán historia esta temporada… la inserción de encajes de Valenciennes y los fruncidos se alternan desde el escote hasta el bajo, todo el conjunto sobre una base de satén azul pálido o rosado.

La «Ligne Ailée»
(«Línea alada»)

«Christian Dior explicaba en su autobiografía que
en la primavera de 1948 había presentado la línea
"Zigzag", que daba a la figura el aspecto animado
de un dibujo». Ahora, «Con el invierno, esta tendencia
quedaba confirmada con la línea "Alada". La silueta
había alcanzado la cúspide de su juventud y liviandad».

La nueva colección se presenta bajo el símbolo de
unas «ALAS», según se leía en las notas originales
de la colección. Esta temporada, el interés ya no
radica en la longitud de las faldas, sino en el corte y
el reparto del volumen, que se dibuja nerviosamente,
y ya no tan suelto y ondulante.

«Los vestidos simples y los abrigos se extienden
debido al peso de las soberbias telas de lana más
que por el metraje excesivo», informaba *The New York
Times*. «Ambos cuentan con un único pliegue profundo
e invertido en el frente y la espalda. Recortadas hasta
unos 35 centímetros, aportan un aire de juventud».

El modista «añade con fantasía unos canesúes rígidos
separables, boleros amplios, cuellos puntiagudos
y puños sobresalientes para dar un efecto alado»,
anotaba *The Observer*. «Para añadir un mayor efecto de
movimiento, coloca unos drapeados en espiral alrededor
de sus vestidos cortos de baile y los denomina efecto
"ciclón"». Un destacado ejemplo de esta línea «Ciclón»
(o «Huracán») es el vestido «Cyclone», en tafetán negro
carbón (derecha).

Dior también introdujo lo que *Vogue* describió
como «escotes oblicuos», «que envuelven uno de los
hombros, alejándose del otro», como se observa en
«Coquette», el vestido «gran gala» de satén gris perla
(página 34).

Los vestidos de tarde también presentaban unos
plisados impresionantes, que desafiaban a la
gravedad. «Las amplias faldas plisadas se extienden
hacia un lado como alas que parecen cornucopias
aplanadas», escribía *The New York Times*. «Se agrupan
en tal cantidad que sugieren las hojas de un libro
abierto. Como el bajo de este grupo de alas es más
corto que el resto de la falda, puede adivinarse su
forro de moiré o satén».

La línea «Trompe L'oeil» («Trampantojo»)

«Son dos los principios en los que se fundamenta la línea "Trompe L'oeil"», escribía Chrisitian Dior. «Uno de ellos es dar prominencia y amplitud al busto, respetando al mismo tiempo la curva natural de los hombros; el otro principio respeta las líneas naturales del cuerpo, pero aporta plenitud y el movimiento indispensable a las faldas».

El «Trompe L'oeil» cambia completamente el corte del traje, indican las notas de la colección. «El espíritu mismo de los trajes ha cambiado. En lugar de modelar el busto, se ha vuelto más suave, incluso en los modelos tradicionales. El busto se amplifica a expensas de los corsés, simples y sin bolsillos visibles».

Aunque hay algunos bolsillos evidentes en los trajes, abrigos y vestidos, son «parte de la línea de Dior» y se emplean para crear los efectos «trampantojo», escribía *Vogue*. Está el bolsillo canguro, dirigido hacia arriba sobre el pecho; el bolsillo cala sobre el hombro, el par de bolsillos de seda rígidos que conforman todo el corpiño de un vestido de noche.

Las faldas también realizan su aportación a la ilusión óptica. «Dior acorta perceptiblemente, por medio de uno o más paneles flotantes, y distribuye asimétricamente una plenitud ilusoria sobre una falda de tubo», informaba *The New York Times*. «En Dior, los paneles flotantes de las faldas, a modo de pliegues... cada uno se ha cortado individualmente», anotaba *Vogue*. «Los paneles flotantes a modo de cintas de mayo se balancean sobre las faldas estrechas. Los paneles circulares como enormes pétalos sobre una enagua ceñidísima».

Para la noche, «entre los vestidos de cóctel se encuentran unos sencillos vestidos camiseros en linón rosado, en chifón blanco con grandes bolsillos sobre el pecho, en encaje dorado y negro, en piqué blanco fabulosamente bordado con lana negra y piedras preciosas de imitación», añadía *The New York Times*. Los vestidos de gala, convenientemente lujosos y espectaculares, son las únicas prendas de largo hasta el suelo.

La colección «Milieu du Siècle» («Mediados de siglo»)

Bautizada «Mediados de siglo» («Milieu du Siècle»), la colección de otoño/invierno de 1949-1950 de Dior «no depende del pasado para inspirarse, sino que adquiere su movimiento del presente», declaraba el modista a *The New York Times*.

«Era muy experto», escribiría Dior más tarde en su autobiografía. «Se fundamentaba en un sistema de corte basado en la geometría interna del material. He mencionado antes la importancia de la fibra del material: en esta época, mis modelos la explotaron al máximo».

«Los cortes rectos y al bies se intersectan "como tijeras" o irradian "como molinos" en un estilo que es totalmente de nuestra época», rezaban las notas de la colección, y enfatizan la manera en la que contrastan los tejidos: «fibra gruesa y terciopelo, terciopelo y lana, satén y terciopelo», o, en el caso del conjunto «Bâteleur» (página siguiente, superior), lana negra y pieles.

«Las tijeras son ideales en los vestidos de noche con una silueta esbelta y entallada», informaba *The New York Times*. «Uno de ellos, largo hasta el suelo, con un corpiño de terciopelo negro, falda de velarte negro, tenía "tijeras" que formaban dos delicados paneles de terciopelo entrecruzados justo por debajo de la cintura y cayendo hasta el bajo» (página siguiente, inferior derecha).

También había «drapeados molino que giraban lateralmente o hacia atrás en un movimiento que se aleja del ajustado cuerpo entallado del vestido», añadía el periódico. «Los cuellos y escotes que presentan un elegante movimiento hacia afuera también están incluidos en esta categoría molino».

«Los grandes cuellos elevados con forma triangular enmarcan la cara y caen hacia la espalda, mostrando la nuca; se trata de cuellos "cortavientos"», según explicaban las notas de la colección.

Muchos de los abrigos y chaquetas estaban inspirados en la forma de la capa estilo hopalanda de los pastores, «un estilo deliberadamente irregular y primitivo», explicaban las notas, mientras que, como accesorios, se presentaban los tacones asimétricos de André Perugia («los zapatos más asimétricos y desnudos, para llevar como contraste a las abultadas lanas invernales», escribía *Vogue*).

«Una soberbia habilidad domina la colección de Christian Dior», según el juicio de *The New York Times*. Desde el principio hasta el fin —cuando se presentó un vestido de belleza de cuento de hadas, con su falda de pétalos bordados con cuentas de piedras preciosas del color de las alas de una libélula («Junon», página 41)— este gran modista demostró su dominio de los materiales. Siguen su dirección como el mármol sigue la mano del escultor y los colores al pincel del pintor.

«Ligne Verticale» («Línea vertical»)

«La colección de primavera de 1950 fue testigo del triunfo de la línea vertical, que colocó a la "mujer" como algo muy valorado entre las mujeres», recuerda Christian Dior en su autobiografía. «El busto quedaba moldeado de manera estrecha, las cinturas muy marcadas, y los colores claros como la luz del día».

«Los expertos están de acuerdo en que la novedad más importante en esta colección es el tratamiento que Dior da al busto», proclamaba *The Washington Post*. «Los cuellos grandes, redondos, como marcos que rodean el pecho como lo haría un esmoquin o una collera, hacían lucir el pecho, cubierto con una banda ligeramente abierta o abotonada de tela blanca o a juego».

Los trajes eran uno de los elementos clave de la colección y se presentaban dos estilos principales: chaquetas muy ajustadas con corsés rígidos combinados con faldas «delantal» (página siguiente) y otras chaquetas de caja más sueltas, «verticales», conjuntadas con faldas de pliegues bajos (derecha). «Las chaquetas ajustadas completan las caderas por el frente y presentan la abertura "en herradura" flanqueada por solapas con la misma forma, endurecidas de forma ligeramente convexa, informaba *The New York Times*. Sus faldas estilizadas presentan un delantal plano al frente, redondeado en el bajo».

«Tras su guiño a los pastores en la temporada anterior (*véase* página 38), los estilos más rectos y sueltos de los abrigos cortos y chaquetas se inspiraban en «la elegancia casual de los marineros», según explicaban las notas de la colección. El tema marino también influyó en la gama cromática, con el azul, el blanco y el negro como tonos principales.

«Las chaquetas Spencer y los boleros desaparecen casi completamente», continúan las notas sobre la colección, y se sustituyen parcialmente por abrigos guardapolvos de seda como el «Mascotte» (página 44, superior izquierda).

«La mayoría de las faldas de 1950, aunque recuerdan los principios de 1930», son acampanadas, más cortas al frente y apenas tocan el suelo en la espalda, anotaba *The New York Times*. «Las lentejuelas iridiscentes o las filas arremolinadas del más pequeño encaje de Valenciennes componen todo el vestido». A través de sus creaciones para la noche, Christian Dior tenía la intención de subrayar «esa calidad del "trabajo hecho por manos de hada", que caracteriza a la alta costura parisina». Dior «también vuelve al detalle más minucioso y la fabulosa habilidad legendaria de la costura francesa», recordaba *The New York Times*.

«La longitud, el volumen, el bordado, los tejidos resplandecientes: todo está inspirado en el deseo de una transformación de cuento de hadas, que contrasta con la deliberada simplicidad de los atuendos de día», afirmaban las notas de la colección. «Hemos dado nombres de músicos a estos vestidos, que hemos intentado hacer tan inmateriales como la música» (páginas 44-45: «Mozart», último a la derecha, y «Liszt», tercero por la derecha), que lucen las modelos que rodean a Christian Dior después de una presentación especial de la colección en el hotel Savoy de Londres (página 45, inferior).

La «Ligne Oblique» («Línea oblicua»)

Después de la Vertical (*véase* página 42), Christian Dior bautizó su colección como la «Ligne Oblique» («Línea oblicua»), «un corte más complejo», según las notas de la colección recopiladas por el propio modista.

Ejemplificada por el conjunto «Embuscade» (página siguiente), las características principales de la Línea oblicua se describían como sigue: «cabeza pequeña; cuello esbelto; hombros inclinados; busto amplio; cintura estrecha; amplios corsés y faldas». «Bolsillos grandes colocados verticalmente con profundas solapas destacan la importancia de la cadera», anotaba *The New York Times*, mientras que los botones a menudo seguían una línea oblicua.

También presentaba una serie de cuellos altos bautizados como *collets montés* por el modista, y *Vogue* comentaba: «Los cuellos de Dior... grandes cuellos rígidos como capas en vestidos, abrigos o trajes, que en ocasiones se convierten en pañuelos cruzados y sujetos a la cintura con un cinturón. Abrigos con grandes cuellos pañuelo vueltos para cubrir las orejas».

El vestido camisero estaba totalmente desterrado, pero el modista introdujo tanto los vestidos acampanados de lana («Briquette», derecha) y, como explicaban las notas de la colección, «una serie de vestidos amplios o entallados totalmente trabajados en pliegues oblicuos que envuelven el cuerpo como un manto».

«La mayoría de los sombreros eran pequeños y colocados directamente sobre la ceja», informaba *The New York Times*. «Los trajes requerían un Homburg modificado, los vestidos y abrigos unas tocas con alas suaves, mientras que las largas capas se acompañaban con *nonnettes*, unos sombreros de tela muy ajustados con largos flecos a ambos lados».

Dior también introdujo lo que denominó el «Dior *chignon*» o «moño Dior» («una pequeña pirámide enrollada y doblada de red o tul... colocada sobre la frente», citando a *The New York Times*), que llevaban algunas de las modelos que presentaban los conjuntos para la noche (*véase* página 49).

«En cuanto a los vestidos de noche, expresaban un deseo de lujo, calma, felicidad y belleza, que flotaba en el ambiente», escribió Christian Dior más tarde en su autobiografía. «Todos son largos hasta el suelo», destacaban las notas de la colección, y «nada es demasiado ostentoso para ellos», haciendo un uso generoso de la faya, el satén y el tafetán, así como «enormes remolinos de tul y encaje».

La «Ligne Naturelle» («Línea natural»)

La «Ligne Naturelle» («Línea natural») de Christian Dior se creó en torno a un tema central: «el óvalo». «El óvalo de la cara, el óvalo del busto, el óvalo de las caderas: estos tres óvalos superpuestos expresan la línea de 1951, cuyo corte tuvo que renovarse totalmente para seguir las curvas *naturales* del cuerpo femenino», según explicaban las notas de la colección. «Todo está modelado en base a estas curvas sutiles… Suave sin ser suelto, simple sin ser seco, la moda de 1951 gira en torno a los matices».

«Dior, quien dio nombre al *New Look* plisado y acolchado, dio la espalda a todo tipo de relleno y refuerzo rígidos, y únicamente empleó los pliegues cuando se adherían como columnas acanaladas», informaba *Vogue*. «Creó vestidos ovalados entallados con faldas con las que se podía caminar, porque había añadido los godets más ligeros en la espalda, que no restaban esbeltez, pero aportaban comodidad».

«La colección de Dior se construye en torno al gris, desde el perla hasta el elefante», anotaba Reuter. «La silueta se divide en tres óvalos, el primero está formado por el cabello largo peinado hacia atrás y un sombrero curvado hacia abajo, el segundo por unos hombros redondeados con mangas largas, que terminan en una esbeltez no exagerada en la cintura, y el tercero por una falda con caderas amplias que se estrecha ligeramente hacia el bajo».

Los trajes, chaquetas y vestidos presentan las nuevas mangas *cuisse de poulet* («muslo de pollo»): «las mangas se insertan muy adentradas en el frente por medio de una costura curvada, pero forman una única pieza con la espalda. Tres cuartos y se estilizan en el antebrazo», escribía *The New York Times*.

La chaqueta más novedosa era una *paletot* sin cuello, «un abrigo de caja de origen chino», escribía *Vogue* (página siguiente, superior). «Las chaquetas sueltas, a la altura de las caderas, aparentemente más amplias bajo los brazos que en el bajo, son legión, en cualquier material desde el *tweed* beige, la lana gris suave, negra o marino, hasta el *shantung*. Debajo de éstas y encima de un vestido de tirantes escotado, se lleva un bolero ajustado que apenas cubre el busto en su longitud o una chaqueta Spencer ceñida con un profundo cuello ovalado», describía *The New York Times*. «Los escotes ojo de cerradura se forman con un pequeño escote a caja que se une a la abertura de una V u ovalada».

Los vestidos formales de noche, sin embargo, «tienen un aspecto deliberadamente distinto y rompen por completo con la moderación y modestia que caracterizan los conjuntos para el día», afirman las notas sobre la colección. «Toman sus nombres del mundo del teatro porque hemos querido darles todos los niveles de sofisticación, osadía y artificio».

«La Ligne Longue»
(«Línea larga»)

«El óvalo (*véase* página 50)... sucedió a la Línea oblicua (*véase* página 46) y finalmente introduje la "Línea larga", que fue la favorita de todas mis colecciones», escribió Christian Dior en su autobiografía.

«Desde el sombrero hasta los zapatos, se trata de una silueta de proporciones totalmente nuevas, que son la conclusión de la evolución iniciada en la colección previa», proclamaban las notas originales de la colección. «Los trampantojos y artificios están desfasados. Lo moderno es todo lo natural y sincero. El corte esculpe los vestidos y los trajes, desestima los ornamentos».

«La atención se dirige hacia el busto suave y drapeado, a partir del cual se dibujan dos líneas divergentes —en las costuras o en las pinzas— y desde el pecho hasta el final de la falda, destacadamente más larga, otorga al cuerpo una esbeltez máxima: es la Línea larga».

«Christian Dior alarga las faldas hasta cubrir la pantorrilla, acorta los peplum de las chaquetas a diez o quince centímetros o menos, incrementando de esta manera aún más el aspecto alargado de la falda. Por otra parte, las faldas con una amplitud comedida que se ensancha ligeramente, introducidas tentativamente en febrero, son ahora las que predominan», informaba *The New York Times*.

«La cintura alta tipo imperio está presente continuamente, gracias a los cinturones anchos, los abrigos de tafetán en los que la amplitud se recoge formando un canesú, los suaves corsés hasta el busto en los vestidos, aunque, por supuesto, la cintura natural siempre está modelada, a menudo en línea princesa. De la misma manera, sugieren una cintura alta los boleros que se añaden a los vestidos tanto de mañana como de noche».

Los conjuntos se complementaban con nuevos zapatos de tacón cubano con suaves lazos creados por Perugia para Dior, anotaba *Vogue*, mientras que los vestidos de noche se llevaban a menudo con un bolero o pañuelo y se decoraban con ricos bordados (en contraste con la estética más sobria de los trajes y vestidos de día).

La «Ligne Sinueuse»
(«Línea sinuosa»)

«1952 fue un año importante desde que comenzó: el
año en el que el Telón de Acero comenzó a reforzarse,
se recrudecían los conflictos en Indochina y Corea,
y el nacionalismo árabe experimentaba un auge...
lo que alejaba la euforia del *New Look* y los perifollos
de antaño. La nueva clave de la moda es que debía
ser discreta», escribiría Christian Dior más tarde
en su autobiografía.

«Ese es el motivo por el que en la primavera de 1952
propuse la línea "Sinuosa", para indicar que la moda,
por una vez lógica, sucedía al invierno con una
estación de suavidad. Las blusas y los jerséis se
convirtieron en el tema principal de la colección,
cuyos colores oscilaban entre el natural y el gris.
Al mismo tiempo, la cintura se volvía más suelta.
Se allanaba el camino hacia la línea "Flecha" (*véase*
página 90), que es la antítesis exacta del *New Look*».

La silueta de esta colección «daba completa libertad
de movimientos al cuerpo con toda facilidad»,
afirmaban las notas de la colección. «Las faldas,
rara vez estrechas, aumentan su vuelo a partir de
las caderas en una multitud de pliegues que no
dificultan el caminar».

«Los vestidos jersey son de una pieza, pero con
cuerpos que terminan en una banda o puño alrededor
de las caderas», reportaba *The Washington Post*. «Aunque
no hay costuras o cinturones en la costura, está bien
marcada y reducida por medio de pinzas», y la línea
sigue las curvas naturales del cuerpo.

«La suntuosa escena nocturna incluye todo tipo de
siluetas», anotaba *The New York Times*. La amplitud
moderada de los vestidos dirndl en organza
bordada, el corpiño de jersey sin tirantes unido a
una falda escalonada de tul acanalado, las faldas
acampanadas de tafetán o encaje que son más
cortas al frente pero arrastran el suelo en la espalda,
y finalmente las suntuosas crinolinas de mediados
de la época victoriana».

«Los vestidos de noche a los que dos temporadas
antes había bautizado con nombres de músico
(*véase* página 42), llevaban ahora nombres de autor»,
escribiría Christian Dior. «Esta nomenclatura dio pie
a algunas conversaciones curiosas en los talleres...
En la *cabine*, una modelo exclamaba furiosa:
«¡Cuidado! Estás estrujando a Maurice Rostand»,
o «No aprietes así a Albert Camus».

La «Ligne Profilée» («Línea perfil»)

«En otoño, la silueta se inspiró en las técnicas modernas con la "Línea perfil"», escribió Christian Dior. Esta «Línea perfil» se inspiraba en «las formas con las que nos rodea la vida moderna», y debía su precisión «no a las líneas, sino más bien a las curvas naturales refinadas y perfiladas con cuidado», explicaban las notas sobre la colección.

«Los vestidos estilizan el cuerpo sin romper su silueta y lo alargan, lo que confirma la longitud de las faldas, que son 10 centímetros más largas que la temporada anterior... Anchos o estrechos, los vestidos están perfilados con la enérgica precisión de los aviones o los automóviles. Moldeados sobre el cuerpo, su objetivo es en primer lugar, y más importante, estilizar y alargar».

«Dior defiende con fuerza la línea perfil, en la que una construcción modelada –además de los cuellos más altos, las faldas más largas, las cinturas más finas e ininterrumpidas– exagera la longitud de la figura, informaba *Vogue*. El diseño de las costuras es como una lección de construcción de un hermoso edificio. Sus prendas hacen por la figura lo que pocas figuras pueden hacer solas. Lo denomina la línea "perfil", y no se ciñe a un "perfil", sino que define muchos de ellos, todos ellos definitiva y generalmente en negro... Su perfil completamente estilizado sigue la curvatura del cuerpo ideal».

Dior denomina «intacta» a la cintura. Nunca está ceñida. No hay énfasis artificiales de ningún tipo. El corte es tan perfecto, el aspecto es tan hecho a medida que la descripción no puede hacer justicia a la simplicidad de los cuellos altos y ajustados, las suaves mangas largas y los botones frontales en el centro, afirmaba *The New York Times*.

Los vestidos de noche ricamente bordados (que inspirarían a Raf Simons y se transformarían en corsés para llevar con pantalones pitillo negros en su primera colección para la casa, *véase* página 528) siguieron el mismo enfoque técnico.

La «Ligne Tulipe» («Línea tulipán»)

En la primavera de 1953 apareció la «Ligne Tulipe» («Línea tulipán»), marcada por el desarrollo del busto y un estrechamiento de las caderas, escribiría más tarde Christian Dior en su autobiografía. «Poco a poco, la cintura iba siendo liberada», y esta colección serviría de inspiración directa para la «Ligne Florale» de John Galiano en 2010 (*véase* página 498).

«Gracias a un corte maestro y la manipulación de las telas para que se aleje del busto, Christian Dior aporta un nuevo énfasis al pecho, entallado pero suave», escribía Dorothy Vernon en *The New York Times*. Denomina a esta línea esquemática el «tulipán abierto».

En los trajes en particular (páginas siguientes), «la curva del corte tulipán está justo debajo del busto, y entonces, como los pétalos, la línea se extiende hacia arriba y afuera hacia los hombros», continuaba Vernon. «El cuerpo desde el busto hacia abajo es, por supuesto, el tallo del tulipán y una silueta entallada, con las líneas princesa que siguen la figura natural sin un énfasis particular en la cintura y con las caderas ocultas por los peplum de las chaquetas que se adaptan a los contornos naturales».

Sin embargo, se modificó la nueva línea para los «vestidos con faldas plisadas que, debido a su amplitud, necesitan un cuerpo de proporciones más pequeñas» (parafraseando las notas de la colección) y cuya mitad superior se veía ocasionalmente enfatizada por otros medios. «En flexibles mezclas de lana y seda negras, estampados en chifón o crepé, el énfasis en el busto se consigue con un fichú que envuelve los hombros, y cruzado al frente y por la espalda encima de una falda de tubo que moldea el vientre, a excepción de los ondulantes estampados plisados que requieren un cuerpo más liso con cuello camisero», informaba *The New York Times*.

«Pero la belleza de esta colección depende no solo de la construcción, sino de la tela y el color: los frescos verdes amarillentos primaverales, los amarillos suaves, los rojos intensos, el rosado, el azul flor, el negro básico, el beige y el gris, exquisitos estampados en combinados diseños impresionistas», añadía el periódico.

Los colores se basan en tres temas, según indican las notas sobre la colección: «los estampados inspirados por los impresionistas que evocan los campos de flores tan queridos para Renoir y Van Gogh; los estampados cuyos colores y diseños están inspirados en las miniaturas persas (un diseño que John Galliano recuperaría en sus colecciones para la casa: *véanse*, por ejemplo, páginas 310 y 478); y, finalmente, las grandes ramas en flor inspiradas en China» (muchos años antes de las creaciones con temática *chinoiserie* de Galliano: *véase* página 266).

La «Ligne Vivante» («Línea viva»)

«Esta temporada, la trama en París gira alrededor del hábito recurrente de la longitud de la falda; Dior, sin previo aviso, las reduce a justo debajo de la rodilla, en una colección revolucionaria inspirada en el perfil de la ciudad de París, con la torre Eiffel para la versión estilizada, la cúpula de los Inválidos para la más voluminosa», según informaba *The Manchester Guardian*.

Bautizada como «Ligne Vivante» («Línea viva»), la nueva colección de Dior lanzó dos nuevas siluetas: las líneas «Torre Eiffel» y «Cúpula de París».

La silueta «Cúpula» destaca más en vestidos y abrigos. «Los vestidos cúpula eran extremadamente simples, abotonados hasta un escote redondo. Tenían mangas cortas, sin pretensiones», escribía Dorothy Vernon en *The New York Times*. El modista le da ese nombre porque, a partir de la cintura princesa, los vestidos cortos se curvan sobre las caderas como el contorno redondeado de una cúpula, en perfecta fluidez e incorporando seis u ocho nesgas».

«Cuando un abrigo igualmente corto debe cubrir un vuelo tan rígido, se vuelve muy ancho en proporción a su longitud», destacaba Vernon, y *Vogue* incluyó extensamente los abrigos «cúpula» de Dior («redondeados, voluminosos, una gran curva desde el cuello hasta el bajo») en sus páginas ese año.

Los vestidos «Torre Eiffel» eran más estrechos, y se extendían sutilmente desde una cintura princesa hasta el bajo. Las proporciones de los vestidos más estilizados también cambiaron al reducirse su longitud, escribió *The New York Times*. «Princesa, abotonados por la espalda pero moldeando suavemente el frente desde el estómago hasta una costura horizontal bajo el busto... Solo diferían en el escote, siendo los del día altos, redondos y sin cuello, mientras que los de la noche se extendían por los hombros en un escote V amplio o barco.

«Siempre estaba buscando la manera de alterar el atractivo general de la mujer y realzar su silueta», escribió Christian Dior. «La tela debería *vivir* en sus hombros, y su figura *vivir* bajo la tela» en una colección en la que los vestidos «eran todo movimiento y vida», según explicaban las notas sobre la colección.

El modista explicó a The Associated Press que habían pasado por alto otra «revolución» entre el frenesí y la conmoción de los bajos más cortos. «Por primera vez he eliminado los corsés, incluso para los vestidos de baile», declaró. «También he eliminado las costuras de la cintura, y he cortado mis vestidos en una sola pieza, con líneas princesa. Hace dos años que intento eliminar los cinturones y ahora lo he hecho».

Esta colección también fue la primera ocasión en la que las modelos llevaron zapatos de la recién fundada Christian Dior-Delman, creada y dirigida por Roger Vivier.

La «Ligne Muguet» («Línea lirio de los valles»)

«En la primavera de 1954 propuse la línea "Lirio de los valles", inspirada en mi flor de la suerte, una línea que era a la vez joven, grácil y simple, y a la que daba unidad su color: el azul París», explicaba el modista en su autobiografía.

«El lirio de los valles como ingrediente hace referencia a la inspiración en general: el volumen de la cabeza, conseguido con los sombreros planos, y un cojín de tela a modo de copa; corpiños suavemente ablusados, cinturillas, faldas suaves que evocan, según Monsieur Dior, las florecillas de esta delicada flor de primavera», escribió Phyllis Heathcote para *The Manchester Guardian*.

«La nueva colección dice adiós a la línea princesa (*véase* página 66) y se embarca en nuevas aventuras», proclamaban las notas sobre la colección. «Joven, grácil y simple, como la flor que la representa», el nuevo *look* de primavera daba preferencia a los cómodos «conjuntos para llevar desde el almuerzo hasta la cena» para las mujeres modernas.

«Sin cambiar la longitud de la falda, Christian Dior ha abandonado la línea princesa por una silueta grácil basada en el vestido camisero con un collar marinero y un ablusado ligero sobre una cinturilla sin marcar, redonda como un anillo», según *The New York Times*. «Además de este suave *look* de los corpiños ablusados en chifón estampado se encuentran unos fichús drapeados y lazos artísticos que caen por la espalda».

El azul era el color estrella de esta colección, junto con el gris, el blanco, el lila y el rosa «petunia». Los estampados y bordados estaban inspirados en las flores, los jardines, los huertos y ramas en flor, y lo decoraban todo, desde los estampados a juego entre sombreros y vestidos para el día hasta los vestidos de noche ricamente bordados.

Christian Dior anotaba en su autobiografía: «Christian Dior había alcanzado la edad de la razón y celebraba su séptimo cumpleaños. Ahora ocupaba cinco edificios, estaba integrado por veintiocho talleres y daba empleo a más de mil personas».

Línea «H»

Descrita como una «Silhouette Hanchée» (silueta
basada en la cadera) en las notas originales sobre
la colección, el modista definía la línea «H» como
«una línea totalmente diferente, basada en alargar
y estrechar el busto: los vestidos, trajes y abrigos
se construyen sobre estas paralelas que forman
la letra H mayúscula».

Con unas prendas cortadas de manera alargada
y suelta sobre el pecho, con drapeados, bolsillos
o cinturones colocados bajo la cintura, justo encima
de las caderas, Dior consiguió «este efecto de un
busto largo que descansa sobre las caderas, que
es la característica distintiva de esta temporada».

«Si hubiera que encontrar una analogía en el pasado
para el cuerpo estilizado de la mujer actual», escribió,
«sería el cuerpo de las ninfas de la Escuela de
Fontainebleau, la H de Henri (Enrique) II», el rey
que gobernó en Francia 400 años antes (1547-1559)
y cuya corte en el castillo de Fontainebleau daba
la bienvenida a artistas como François Clouet (quien
plasmó los ideales de belleza en sus lienzos y retrató
a las esbeltas bellezas aristocráticas; quizá la más
famosa fue la amante del rey, Diane de Poitiers).

«El mismo amor por el estilo y la pureza. El
mismo amor por la elegancia y la elongación.
El mismo amor por lo reservado y la juventud»,
escribía Dior, relacionando 1555 con 1955.

«Los paralelismos artísticos continuaban en el nuevo
«tacón Watteau» de los refinados zapatos y en la
elección de los colores del modista: el intenso «azul
Vermeer» para el día, un «azul Fontainebleau» más
grisáceo y un «amarillo Vermeer puro» para la noche,
así como rojos y rosas que «igualan los tonos de las
nuevas barras de labios de la casa».

«La línea "H" marcó la evolución final iniciada en
1952 (véase página 56) por la liberación de la cintura»,
declararía Christian Dior más tarde en su autobiografía.
«La nueva línea fue bautizada casi inmediatamente
como "Look Plano", pero nunca había sido mi intención
crear una moda plana que evocara la idea de una
judía verde».

Vogue coincidía, argumentando en su informe sobre
París que «Dior, lejos de aplanar el pecho, lo ha hecho
lucir, lo ha elevado, redondeado, dándole un atractivo
aspecto de juventud», y elogiaba «la nueva línea
estatuesca para la noche de Dior», ejemplificada por
conjuntos como «Zaire» (página siguiente) y «Amadis»
(página 80, izquierda).

Finalmente, se desató una salva de bravos cuando
entró el último vestido en la sala de Dior, una
encantadora creación nupcial (véase página 81).
Hubo gritos de «divino», porque esa era sin duda
la mejor colección que Christian Dior había creado
desde su famoso primer New Look, informaba
The New York Times.

Línea «A»

«Los rigores del invierno y las paralelas de la línea «H» (*véase* página 74) quedan superadas en la silueta de esta primavera por una línea que es más libre y más amplia», anunciaban las notas sobre la colección. «Está perfectamente ilustrada por la letra A, muy similar en construcción a la letra H, pero cuya principal característica es la *inflexión* de las *dos diagonales*. El ángulo entre ambas se presta a una infinidad de variantes».

«En pocas palabras, hay una *evolución* perceptible, pero no una *revolución*, de la silueta en general, cuyas posibilidades están lejos de agotarse», continuaban las notas sobre la colección. «Si el busto aún parece más alargado, y esa es la principal característica, la barra horizontal de la A es esencialmente móvil, aunque el ajuste suelto y la cintura ligeramente marcada continúan en su posición natural sin demasiado énfasis... *El juego en la cintura* es uno de los puntos más importantes en esta colección de primavera, y es tan temperamental como la misma estación».

«Hay muchos *corsés* y *cinturones*: las barras horizontales ideales de la «A», que es el símbolo de la colección, y la vestimenta típica para el día es el conjunto de vestido chaqueta», según las notas de la colección. «La chaqueta de la línea A se extiende de unos hombros estrechos hasta un bajo a la altura de los dedos. La botonadura lateral remarca la silueta», anotaba *The New York Times*. «Una falda plisada o una acampanada prolongan la pendiente lateral hacia afuera de la A».

La línea «A» se extendió a las creaciones para la noche (páginas siguientes, como parte de un pase de moda celebrado con fines benéficos en Escocia unos cuantos meses después de que la colección se presentara en primer lugar en París), con muchos vestidos de noche cortos y a la altura de los tobillos, con ricos bordados. «Nunca los hemos usado con tal profusión», rezaban las notas de la colección. «La simplicidad de las líneas de los vestidos de noche está perfectamente indicada para la suntuosidad que le aportan. Tan discretos como magníficos, encuentran su temática en India con la misma facilidad que en el Trianon».

«Unos encantadores vestidos de noche estilo Imperio se componen de varias capas de organdí de seda que como único adorno llevan una cinta bajo el pecho. Otros están cubiertos de flores y brillan con sus bordados de oro y plata, con la gracia etérea, aunque sin el nacimiento, de la Venus de Botticelli», informaba *The Manchester Guardian*, mientras que *Vogue* elogiaba «el organdí blanco de Dior montado sobre satén como la línea «A» más delicada de Dior, y el triángulo más bonito desde Pitágoras».

Línea «Y»

«Una vez más, una letra del alfabeto, en esta ocasión la Y, para expresar el carácter esencial de la nueva colección», explicaban las notas originales del desfile. «Es el signo de una *reacción* contra los corsés largos, las cinturas bajas que son demasiado sueltas y los sombreros que no son sombreros en realidad. Es una prueba de la *evolución* que ya era visible en la colección anterior (*véase* página 82) en la que el juego en la cintura tendía a hacerla más estrecha y alta para colocar el acento en el busto que se enfatiza con prácticamente todos los artificios del corte».

«El busto *alto* se abre entre las extremidades de la Y que alcanzan la base de los hombros, que son naturales y pequeños. Una nueva manera de insertar las mangas con la intención de definir esta línea con mayor claridad. La cintura, que se ha estilizado, no apretado, continúa en su posición natural, pero tiene tendencia a ser un poco alta, para que las faldas, y así la extremidad inferior de la Y, tenga una longitud máxima».

«Este deseo de dar amplitud se demuestra también en el empleo de *abrigos y chaquetas holgados* de todos tamaños con una preferencia por las chaquetas cortas como sus *requimpettes* gracias a las que sus vestidos de día y sus chaquetas Spencer son adecuados para llevar en la ciudad. Esta tendencia se confirma con la aparición de unas amplias bufandas abotonadas con vestidos-abrigos que son bastante comunes» («Kirghiz», derecha, y «Voyageur», página siguiente).

«Hay una transición muy pequeña entre la poco sofisticada y simple *ropa de ciudad* por una parte y los *vestidos de noche largos o cortos*, por la otra. Estos últimos, aunque incorporan la temática de la moda actual, añaden todo tipo de fantasía, en especial en lo concerniente a las faldas. A excepción de algunas pocas que son plisadas, *todas las faldas* son estrechas para el día y únicamente recuperan su amplitud al final de la jornada; en ese momento presentan la nueva amplitud "paracaídas" que en ocasiones resulta considerable» (página 89, inferior).

«Los vestidos cortos de noche son mucho más cortos que la temporada pasada» y «numerosas faldas de faya aparecen *recogidas como globos, arremangadas, sujetas* o *intensificadas* al estilo turco», añadían las notas sobre la colección. «La sensación oriental en París esta temporada alcanza su cúspide en Dior», informaba *The New York Times*. «Este hecho se refleja en los abrigos túnica mandarinos con laterales abiertos, paneles plisados en abanico que comienzan en la sisa, y túnicas culi que se abotonan por la espalda o el costado».

«Todos los sombreros de Dior se llevan bajos sobre la frente, algunos llegan a tocar las cejas. Hay tocados de plumas, boinas, casquetes, turbantes orientales, fez persas y sombreros anchos con ala ondulada», añadía el periódico.

La «Ligne Flèche» («Línea flecha»)

«Con el impulso de la temporada anterior, la nueva temporada impacta como una flecha sobre su objetivo: cintura alta y sisas en forma de flecha», anunciaban las notas de la pasarela para la colección bautizada como «Ligne Flèche».

«La colocación de las mangas, una línea recta desde el cuello hasta el final de ellas, pone fin a la silueta recta con dos oblicuas, mientras que un truco del corte, un pliegue o un drapeado, un semicinturón o un cinturón, ahueca el perfil formando una F justo debajo del pecho. F, la primera letra de *feminidad* y *flèche* (flecha) destaca por sus suaves curvas y también por la esbeltez».

«Las *chaquetas sueltas* dominan en esta temporada, ya que el vestido princesa ha dado paso a un vestido compuesto por dos piezas: una *falda* y una *chaqueta suelta*. Reúne la severidad con la gracia y se adapta a cada hora del día y a cada ocasión».

«En lugar de enfatizarla, el traje acaricia la cintura, que es intencionadamente alta. Los corpiños son un poco más *largos*, y los cuellos chal, babero o de solapas se distancian del cuello. Lo que aporta a los trajes una línea totalmente novedosa son las mangas y el corte holgado de la espalda».

«Al conservar aún el mismo principio general, la amplitud de los vestidos de cóctel y noche comienza justo en la cintura, que en ocasiones es alta y se extiende con gran amplitud. Esta sigue siempre el hilo de la tela y nunca el bies», continuaban las notas de la colección.

Vogue ensalzaba la nueva chaqueta «caraco» de Dior («largo a la cintura, se dobla encima de un cinturón para dar un aspecto tan suave como el de una blusa») y la nueva silueta de la casa: «situada muy alta y sujeta sobre la amplitud: esta es la nueva línea Dior que crea un espacio importante en la moda de primavera para la cintura suavemente elevada».

«Los cinturones son mucho más numerosos que la temporada anterior y desempeñan un papel importante, que no consiste en constreñir la cintura sin mostrar su altura. Armonizan con los pliegues de los vestidos y a menudo se cierran con un nudo», como destacan las notas de la colección.

En cuanto a las prendas de noche, una de las tendencias principales era «el largo vestido entallado ininterrumpido que arranca desde una cintura alta estilo Imperio», según *The Washington Post*. «Resulta tan encantador, con sus vaporosas finuras y las rígidas y bordadas faldas de campana de los vestidos, que sugieren la forma de una pera. Unos paneles flotantes sujetos en la parte alta de la espalda se recogen a modo de estola, envolviendo los hombros y los brazos, mientras las modelos flotan a través de los salones» (página 93).

La «Ligne Aimant»
(«Línea imán»)

«Un *imán* es lo primero que nos viene a la mente
cuando vemos la línea de la mayoría de modelos de
esta nueva colección», proclamaban las notas sobre
el desfile que acompañaban a la presentación de la
«Ligne Aimant» .

«Los *sombreros* presentan una copa alta y redondeada
y se ajustan en las sienes. El *busto* también está
redondeado, mientras que la cintura es más bien
ajustada. Las *faldas* son amplias en las caderas y se
estrechan más abajo. El *imán* es en efecto el *leitmotiv*
que aparece una y otra vez a lo largo de la colección».

«[Monsieur Dior] emplea literalmente el término
"imán" y basa su nueva silueta en la forma de
herradura, cuya parte superior curvada forma la línea
del hombro, los lados redondeados se corresponden
con la línea curva de la cadera, y las puntas más
estrechas con los estilizados bajos», informaba
The New York Times, mientras que Eugenia Sheppard
del *New York Herald Tribune* sugería: «Si dibujas tres
imanes con forma de herradura, uno encima del otro,
con el más pequeño encima de todo, te harás una
idea de la forma».

«La inserción de las mangas es absolutamente
novedosa», continuaban las notas sobre la colección.
Se insertan más atrás y en ocasiones forman lo que
constituye casi un canesú en la espalda, redondeando
los hombros en un *imán*, aunque la anchura de los
hombros no se ve exagerada».

«La otra novedad en los trajes es la falda. Las faldas
entalladas casi han desaparecido. Anchas o estrechas,
siguen la moda *holandesa*, casi todas son voluminosas
en las caderas debajo de los corpiños más cortos».

«A los trajes les acompañan una infinidad de abrigos
y *capas* de todo tamaño y forma, en ocasiones un
intermedio entre ambas. *Las capas son una de las novedades
destacadas de la temporada…* Los abrigos holgados
también pueden adoptar este estilo *capa* y adaptarlo
de varias maneras», según explicaban las notas sobre
la pasarela.

Mayoritariamente cortos o a la longitud del tobillo,
los vestidos de noche contrastaban con los conjuntos
de día que les precedieron. «La ropa de día de Dior
es tan voluminosa y cubriente como sus vestidos
de noche son descubiertos», destacaba Eugenia
Sheppard. «Para la ropa de fiesta, Dior revive el
escote más deslumbrante del mundo. Los vestidos
tienen el aspecto de estar sujetos justo antes de caer
de los hombros. Cuentan con ajustadas mangas largas
y se llevan con pamelas de terciopelo o sombreros
de marinero de tul negro».

Los colores principales eran el «*negro negro y el blanco
y negro*», anunciaba la casa. «Esta temporada, el gris
oscuro del imán es más popular que los marrones,
que adquieren tonalidades líquen que a veces oscilan
entre el granate y el verdoso».

La «Ligne Libre»
(«Línea libre»)

«Hace exactamente diez años, Christian Dior subió
como la espuma en el mundo de la moda con su
New Look. En estos años, la fama no ha alterado
su disposición ni ha disminuido su talento. Con una
sonrisa encantadora, al final del desfile dijo: "Este año
he alterado el tono de mi colección. Es con diferencia
la más joven y fresca que he diseñado. Más que nunca
antes, necesitamos felicidad y alegría en nuestras
vidas y he intentado satisfacer esta necesidad el día
de hoy"», informaba *The New York Times*.

«La moda de esta temporada ha elegido
deliberadamente la libertad», proclamaban las
notas en el programa de la colección que había sido
bautizada "Ligne Libre". *Libertad* en los escotes, que
se sitúan más o menos alejados del cuello. *Libertad* en
la cintura, alrededor de la cual la tela se "atornilla"
de manera holgada o se rodea con un cinturón flojo.
Libertad en las faldas que, sean amplias o estrechas,
proporcionan una impresión de volumen... *Libertad*
en las longitudes, que son esencialmente variables
dependiendo de la hora del día y el modelo».

«El vestido para el día es antes que nada un vestido
urbano, habitualmente de dos piezas, compuesto
por un "Vareuse" (jersey de marinero) y una falda,
que se lleva al aire libre como un traje», continuaban
las notas de la colección. «Ocasionalmente, las faldas
tienen una destacada tendencia a ser largas, sobre
todo las entalladas, que casi siempre están abiertas
sobre una enagua / combinación, permitiendo así una
libertad total de movimiento», mientras que «para
el final de la tarde, las faldas entalladas tienen
tendencia a ser más largas, llegando en ocasiones
hasta el tobillo».

Vogue también destacaba las faldas de la casa
entalladas con abertura (y les dió el apodo de
robes de Chine, «vestidos de China») para el final
del día y la noche. «Dos diseñadores, Dior y
Lanvin-Castillo, eligen temas orientales en
su origen, pero contemporáneamente occidentales
en su efecto».

«Toda casa de alta costura en París cuenta con
arrebatadores vestidos de noche blancos», continuaba
Dior en su informe sobre las colecciones de París.
«En Dior están, además de sus *robes chinoises*, un
vestido medianamente estrecho de cintas de organdí
blanco, con una bufanda chal blanca de organdí
doblada que llegaba hasta el suelo... hay un vestido
de tul con lunares en blanco con un fichú en
la cintura, una falda amplia hasta los tobillos; la
combinan con unas zapatillas de color rosa intenso
y un pequeño lazo blanco en el cabello justo encima
de la frente» (página siguiente).

Unos cuantos vestidos de noche presentaban una cola
corta (página 100), mientras que entre los vestidos
formales de gala se encontraba el vestido largo hasta
los pies, «Espagne» (página 101), en organdí blanco
con volantes bordados en oro, admirado por Ingrid
Bergman (quien vestiría de Dior en la película de
1958 *Indiscreet*, dirigida por Stanley Donen).

La «Ligne Fuseau» («Línea huso»)

La «Ligne Fuseau» sería la última colección de Christian Dior para su casa epónima antes de su inesperada muerte unos cuantos meses más tarde.

«La nueva silueta para el día puede inscribirse entre los dos paréntesis () de la línea *huso*», explicaban las notas de la colección. «Contenida entre estas dos curvas, esta línea debe su elegancia sobre todo a su efecto alargador, que se compensa con un ligero acortamiento de las faldas».

«[Los trajes] son deliberadamente holgados, pero su línea no deja de seguir las líneas del busto y se ahueca debajo del pecho. La espalda continúa siendo recta», continuaban las notas de la colección.

«Las blusas de cintura alargada y las faldas trabadas para el día recordaban a la era de las *flappers*», escribía *The Washington Post*. «Incluso Pola Negri se habría sentido como en casa en algunos de los trajes de noche entallados con flecos y cuentas», como el «Calypso» (el vestido corto de noche de la página 104, que vestiría Jayne Mansfield, en el público, página 105).

«Excepto algunos modelos que siguen la misma línea que durante el día, los vestidos de noche... adoptan un estilo bastante diferente inspirado en el siglo XVIII», añadían las notas de la colección. «El busto es muy ajustado, y gracias al corte produce el efecto de un talle alargado. Las faldas son abullonadas. Con sus lazos, fruncidos, enaguas, y al ser escotadas, constituyen un contraste absoluto con la moda de día que es muy simple por no decir austera».

«Los [vestidos] más divertidos fueron los de cuerpo envolvente y falda acampanada rígida. La inspiración de Monsieur Dior provino de las bellezas cortesanas francesas del siglo XVIII como María Antonieta, Madame du Barry y Madame de Pompadour», informaba *The New York Times*. «Los escotes eran algo maravilloso. El público suspiró más de una vez. Resulta increíble cuántas variantes pensó Dior sobre el atrevido escote».

Vogue también recogió lo que denominó «los extremos de Dior», contrastando «el enmascaramiento de la silueta de la década de 1920 («el *look* de Dior carente de cintura») con «la Exposición del siglo» (vestidos «cortados alcanzando un nuevo nivel en el escote»).

«En esta nueva colección, Monsieur Dior presenta ambas facetas de su brillante talento: uno, su dominio como pintor-arquitecto del diseño abstracto; el otro, su talento para hacer que las mujeres tengan un aspecto completamente femenino (la base de su gran éxito en 1947)», escribía la editora de *Vogue*, Jessica Daves. «La nueva colección es de extremos: de vestidos insistentemente inadecuados, abrigos, trajes, con torsos insistentemente ajustados... con faldas que parecen volar en una pequeña nube. Y en toda ella, está la perfección profesional infatigable que explica, en parte, la continuada eminencia de Dior».

Yves Saint Laurent

Chic radical

Cuando Christian Dior falleció a los 52 años, en octubre de 1957, Francia se sumió en el duelo y la casa Dior, en la crisis. ¿Quién continuaría el legado del gran hombre? ¿Quién estaba a la altura del cometido?

El 15 de noviembre de 1957 llegó la respuesta: Yves Henri Donat Mathieu-Saint-Laurent, un antiguo asistente, con la tierna edad de 21 años. Parecía joven y poco preparado para el peso del puesto, pero, lo que el mundo desconocía es que muchas de las últimas creaciones bajo el nombre de Dior ya habían surgido de sus manos (35 en la colección de otoño / invierno de 1957, más de las que cualquier asistente de Dior había creado individualmente con anterioridad). Echando la vista atrás, esos diseños, sobre todo la camisa, se caracterizan por un ímpetu joven y una construcción ligera, aunque aún a la manera del fundador. Subrayan el estilo de un modista cuyo nombre pronto quedó reducido a un mero Yves Saint Laurent, el mejor para asumir el papel como el elegido, un salvador con un talento divino.

Ese fue precisamente el veredicto hiperbólico que resonó después de su primera colección para Christian Dior en enero de 1958: «Yves Saint Laurent ha salvado a Francia», proclamaba *Le Figaro*, añadiendo su voz a un coro que ensalzaba una línea que Saint Laurent denominó «Trapeze» («Trapecio»), aludiendo a la buena acogida de sus vestidos camiseros de la temporada anterior. Preparó la colección, según él, «en un absoluto estado de euforia. Sabía que iba a ser famoso».

Yves Saint Laurent nació en Orán, Argelia, en 1936. Su padre era dueño de una cadena de cines y la familia pertenecía a la clase burguesa pudiente, con numerosas conexiones sociales. Saint Laurent fue consentido por su madre Lucienne, que siempre vestía muy bien, y que apoyó el interés de su hijo por las artes. Originalmente quiso ser diseñador teatral, pero se fue interesando cada vez más por la alta costura, dibujando bocetos y diseñando vestidos para su madre y hermanas. En 1954, a los 17 años, visitó París y conoció a Michel de Brunhoff, editor en jefe de *Vogue* Francia, quien apoyó el talento de Saint Laurent. Al año siguiente, después del bachillerato, se trasladó a París para estudiar en la Chambre Syndicale. Ese mismo año, ganó tres de los siete premios en el concurso de la prestigiosa International Wool Secretariat, con apenas 18 años.

En enero de 1955, gracias a la recomendación de De Brunhoff, quien quedó impresionado por el parecido entre los bocetos de Saint Laurent y la línea «A», que aún no se había presentado, Dior le ofreció un trabajo. Yves Saint Laurent aún tenía 18 años.

Con gran precocidad y un talento prodigioso, Yves Saint Laurent se embarcó en una carrera hecha por Dior. Sin embargo, rápidamente comenzó a rozar con las restricciones de la respetable casa de alta costura y las expectativas de su clientela, alterando radicalmente las longitudes y las siluetas, en contra de la regla tácita de la industria de la moda de no mover nunca los bajos más de cinco centímetros en una temporada. Si Dior tenía un *New Look*, Saint Laurent creó una revolución cada temporada. En retrospectiva, su invención constante es apasionante y su imaginación extraordinariamente febril. En la práctica, resultaba desconcertante tanto para la industria en general como para la casa y sus clientes.

Mientras que el mayor logro –y éxito– de Dior provino precisamente de su reacción a la época, Saint Laurent fue un profeta de la moda. Su colección de otoño / invierno de 1960 «Beat» no solo era un presagio de las líneas de siluetas rectas y faldas cortas de la década de 1970; también fue la primera ocasión en la que una casa de alta costura se inspiraba en la subcultura de la juventud. Saint Laurent era el reflejo de un cambio profundo en la psique de la moda, un indicativo del «terremoto juvenil» que reestructuraría la moda durante la siguiente década, dejándola irreconocible a los modistas tradicionales. El joven diseñador de Dior no solo había visto el futuro; lo mostraba al resto del mundo, en los salones sagrados de Christian Dior.

Sin embargo, resultó ser demasiado controvertido, una carga excesiva para la casa. Yves Saint Laurent fue llamado al servicio militar durante 27 meses en septiembre de 1960; después de varios aplazamientos, no lo pudo posponer más. Se barajó la posibilidad de que Saint Laurent preparara los bocetos para Dior «desde los barracones», pero después de apenas 19 días, el modista y cadete fue enviado al Hospital Militar de Bégin en las afueras de París, al sufrir un colapso nervioso. Más tarde, ese mismo mes, Marc Bohan fue nombrado su sustituto.

Alexander Fury

La «Ligne Trapèze» («Línea trapecio»)

La primera colección de Yves Saint Laurent para Dior, la innovadora «Trapèze», estaba dedicada al fallecido Christian Dior. «Comprenderán la emoción con la que presentamos nuestra colección esta mañana», declaraba una voz por los altavoces antes del pase. «Esta, y todas las que seguirán, serán un homenaje permanente al hombre que fundó nuestra casa».

Bajo una enorme presión («Se está jugando 17 millones de dólares», era el titular de *The Washington Post*), Saint Laurent creó una colección que fue todo un éxito tanto con la prensa como con los compradores. «Rara vez se produce un milagro esperado justo a tiempo y en todo su esplendor, pero puede ocurrir», escribía *The New York Times*. «Más joven que la primavera, la magnífica colección de hoy ha convertido en un héroe nacional de Francia al sucesor de Dior, Yves Saint Laurent, de 22 años, con lo que se asegura cómodamente el futuro de la casa construida por Dior».

«Esta temporada, la moda es una cuestión de *equilibrio y de corte*», rezaban las notas originales de la colección. «El *equilibrio* de un sombrero colocado directamente sobre la cabeza, el *equilibrio* de la silueta que se inserta en la base del *trapecio*».

«Los dos puntos más importantes de la temporada son: a) los *hombros* sobre los que descansa la cabeza del trapecio; b) la *amplitud de la falda*, que forma la base del trapecio».

«Esta nueva construcción de la silueta trae consigo un diferenciador acortamiento de los vestidos», de los que hay dos tipos: el dos piezas (la superposición de dos trapecios, dejando la cintura libre) y la «blusa» (parecida a un «vestido abrigo», cuyo corte «está equilibrado totalmente sobre los hombros»).

Finalmente, para la noche estaban los «vestidos abullonados, decorados, con lazos, flores, recordando a las bailarinas y las óperas tan queridas para [el pintor veneciano Pietro] Longhi», decorados con «bordados ligeros y brillantes».

La «Ligne Courbe – Silhouette en Arc» («Línea curva – Silueta en arco»)

Bautizada «Ligne Courbe – Silhouette en Arc», la segunda colección de Yves Saint Laurent para la casa tenía un espíritu arquitectónico; después del trapecio (*véase* página 108), curvas y arcos.

«La estructura de la moda de esta temporada está inspirada en una de las líneas fundamentales de la arquitectura», sentenciaban las notas de la colección, que describían la «convexa línea curva de los sombreros que enmarcan la cara de cerca, [la] curva definitiva de la línea de los hombros redondeada y bien marcada, [las] curvas suavizadas de las faldas [y] el semicírculo de los arcos de Palladio» como sus características más importantes.

«Las líneas rectas y angulares forman huecos, se extienden, curvan y revelan el florecimiento pleno y espectacular del busto», continuaban las notas. «Esta línea es una reacción completa a la de la última colección: un nuevo corte "arqueado" y un nuevo largo (35 centímetros desde el suelo) le dan a la silueta unas proporciones fuera de lo común. Aunque la cintura es corta, no tiene nada de *Directoire*. Para encontrar una analogía con el pasado, hay que pensar en las mujeres de Pisanello, Carpaccio y los pintores venecianos del Renacimiento italiano».

«Lo que Monsieur St. Laurent hace», escribía la editora de *Vogue*, Jessica Daves, «es elongar toda la figura femenina gracias a los tacones altos, los zapatos estrechos, las faldas estrechas, los sombreros altos y la cintura más elevada. Esta proporción es el *look* más novedoso en París».

Para el día, había vestidos abrigo con forma de cúpula con «escotes drapeados con efecto bufanda o chal, que en ocasiones se abren sobre una falda doble», mientras que para la noche el diseñador presentó «vestidos de época, mayoritariamente largos al tobillo, que recuerdan la Venecia del Renacimiento y su grandeza, los estilos turcos del siglo XVIII, Goya», junto con unos espléndidos «vestidos barrocos» (vestidos con garbo y estilo rematados con fruncidos, lazos de cinta, flecos de seda... acompañados por máscaras u «ojos de terciopelo»), explicaban las notas de la colección.

Después de mostrarla en París (derecha), la colección se trasladó al Palacio de Blenheim para una presentación especial en beneficio de la Cruz Roja (páginas siguientes), al igual que Christian Dior lo había hecho en 1954 con su línea «H» (y muchas décadas antes de que la casa volviera al Palacio de Blenheim para una colección especial de crucero; *véase* página 600).

Al evento, que tuvo lugar el 12 de noviembre de 1958, asistió la princesa Margarita (una fiel clienta de Dior), quien declaró que «nunca había visto una colección con tanta belleza». «1650 mujeres admiraron con un placentero encantamiento algo que parecía surgir de un ballet, así de preciosos son los movimientos de las modelos en sus ricas vestiduras», informaba *The Observer*.

La «Ligne Longue – Silhouette Naturelle» («Línea larga – Silueta natural»)

«Sin estar confinada a los límites de una figura puramente geométrica o la curva obligatoria de un arco, esta temporada la silueta se libera», rezaban las notas originales sobre la colección que Yves Saint Laurent había bautizado como «Ligne Longue – Silhouette Naturelle».

«Ha nacido una nueva mujer: *larga*, extremadamente *larga, flexible, natural, cómoda*, sugerida por la longitud *oblicua* de la espalda y la línea *sinuosa* del busto en su sitio justo, la cintura flexible, las caderas sutiles... Se abre un nuevo capítulo: "*Ya no es una línea novedosa, sino un nuevo estilo*", un estilo que busca ser deliberadamente joven, alegre, típico de 1959».

Para el día, Saint Laurent proponía unos trajes sastre cómodos ceñidos a la cintura (en ocasiones con grandes cinturones de chifón en colores contrastantes), y delicados pliegues que permitían que las faldas y vestidos se movieran libremente. Para la noche había vestidos entallados largos y flexibles en satén ligero, chifón, crepé y *shantung*, junto con «vestidos de noche cortos, extremadamente ligeros, con un nuevo estilo: faldas de baile, escotes vaporosos o plisados... con faldas locamente amplias, como las de una bailarina».

La nueva mujer Dior era «de línea alargada, sin rodearse de ninguna de las construcciones arquitectónicas previas», declaró Saint Laurent a *The Washington Post*. «En Dior, prendas deliciosas y aparentemente naturales», informaba *Vogue*: «hay que mirar dos veces para apreciar el ingenio y la habilidad que conforma esta aparente naturalidad. El ondear de los pliegues y el chifón, las profundas bertas en los vestidos plisados; los trajes de *shantung* pálido sobre vestidos sin mangas; los abrigos sujetos a la cintura por cinturones o bandas atadas: un aspecto muy parecido al de una escolar elegante».

«1960»

«1960, el ajetreo de la vida moderna ha creado
a una mujer nueva», proclamaban las notas de la
presentación de esta nueva colección, argumentando
la necesidad de una «nueva moda», una «nueva mujer»,
una «nueva actitud» y «unos básicos nuevos»: «nuevas
tendencias que incluían lo que se denominaría el
estilo 1960».

El elemento más novedoso –y más impactante–
de la colección era una serie de faldas que dejaban
la rodilla al descubierto, descrita por la casa como
«el *leitmotiv* de la colección». «El secreto de mi silueta
está en la falda y la manera en la que está trabajada»,
declaraba Saint Laurent.

«Dior dejó a la prensa de la moda jadeando de
asombro esta mañana», escribía *The New York Times*.
«Yves Saint Laurent se ocupaba en subir los bajos…
mientras que todos los demás los dejaban largos.
En ocasiones incluso dejaba visible la parte frontal
de una rodilla bien formada. En realidad, la noticia
más importante era una falda recogida en la cintura
y que colgaba ligeramente sobre la parte superior
de una banda de 15 cm en el bajo, creando un efecto
túnica inflada».

El efecto –aunque no la longitud– se replicaba en
los suntuosos trajes formales de noche: «Muchos de
ellos, con reminiscencias de los estilos de Paul Poiret,
contaban con largos de falda recogidos a la altura de
las rodillas en una banda estrecha a partir de la cual
se abría un volante abierto hasta la rodilla al frente
y descendiendo hasta el suelo formando una pequeña
cola en la espalda», informaba *The Times*.

Al presentar «el traje con falda globo de Dior» y
«la túnica inflada de Dior» en las páginas de su
informe sobre París, la editora de *Vogue*, Jessica
Daves, describió la colección como «la más francesa
en París». «La presentación se acompañó con un estilo
soberbio y lujoso, y una gran parte de ella vestida
por Victoire [derecha, presentando "Coquine"], la
famosa maniquí de Dior quien, incluso en este mundo
cada vez más pequeño, era evidente que no podía ser
más que una parisina».

La «Silhouette de Demain» («Silueta del mañana»)

«El día de hoy, la gran casa de Dior presentó una colección que ya es aclamada como una de las más hermosas, espectaculares y jóvenes que la casa ha presentado jamás», sentenciaba *The New York Times*.

La silueta princesa (desarrollada en particular por Givenchy la temporada pasada) era un componente clave de esta colección, bautizada como «Silhouette de Demain», adaptada en este caso por Yves Saint Laurent a su propia manera y presentada en colores luminosos.

«Los abrigos se llevan sobre vestidos de dos piezas que parecen blusas y faldas divinamente entalladas. Algunas de ellas, en los mismos vistosos colores que los abrigos», escribía Eugenia Sheppard para *The Washington Post*. La colección de Dior también cuenta con un traje princesa con una chaqueta larga hasta las muñecas y forma de campana».

Con unos sombreros cilíndricos a juego (descritos por *Vogue* como un fez con una cúpula como la de un melón) a modo de accesorio, las creaciones de Saint Laurent para el día presentaban escotes redondos altos, a partir de los cuales «las siluetas... se extendían con forma de pera, tienda o casa de muñecas con bajos hasta la rodilla», informaba *The New York Times*.

«La gran novedad en los vestidos de Dior es la ausencia de mangas. Si las llevan, son mangas kimono, que acaban en el codo», añadía el periódico. «Al igual que todos los modistas de París, St Laurent presenta su versión del vestido túnica de dos piezas. Los suyos son los más extremados y fluidos de todos ellos. La parte superior presenta un escote ovalado o barco simple, y se ciñe al pecho solo al frente, mientras que aletean como capas en el resto. Las faldas también sobresalen: una tienda encima de otra».

«St Laurent también se ha puesto al día en la tendencia de vestir a las mujeres con glamurosos pantalones para recibir en casa», continuaba *The New York Times*. «En cierto momento, el salón estaba lleno de maniquíes con unos pantalones ajustados bajo unas sobrefaldas o los saltos de cama más fascinantes jamás vistos».

Los vestidos de noche no resultaban menos asombrosos, con sus cinturas altas y bajos asimétricos. «Los vestidos entallados de noche, cortos al frente y con una larga cola cuadrada, son para las chicas que toman el whisky solo y el café negro», escribía Sheppard. «Algunos chifones estampados con frágiles flores y espaldas bordeadas de ondulantes pliegues son para la mayoría que prefiere el licor de menta».

«Souplesse, Légèreté, Vie» («Flexibilidad, ligereza, vida»)

«Dior ha abandonado la cintura, alargando el torso, y ha desplazado el énfasis de la silueta por encima de las caderas en la más provocadora de las colecciones, presentada esta mañana», informaba *The New York Times* sobre lo que sería la última colección de Yves Saint Laurent para la casa, bautizada como «Souplesse, Légèreté, Vie». «La proporción es simplemente esta: dos partes para el torso y una para la falda, que estaba ligeramente inflada o con forma de globo, mientras que las chaquetas y los corpiños se mantenían austeramente simples con altos escotes sin cuello y carentes de mangas».

«Las prendas son fluidas. La construcción, algo que St Laurent ha ido eliminando cada temporada, ha sido finalmente desterrada. Los tejidos se deslizan sobre el cuerpo», añadía *The New York Times*. Después de los intensos colores de la temporada anterior (*véase* página 124), el negro se convertía en el dominante en esta ocasión.

«El aspecto *beat* es la novedad en Dior... caras pálidas como zombis, trajes y abrigos de cuero, gorros tejidos y cuellos altos, negro hasta el infinito», describía el *Vogue* británico. Y, de hecho, Saint Laurent parecía haberse inspirado en sus contemporáneos, artistas y creativos jóvenes, bautizando a uno de los conjuntos de la colección como «À Bout de Souffle» (la película de Jean-Luc Godard del mismo nombre, que había sido estrenada pocos meses antes), y otro como «Aimez-vous Brahms» (en honor de la novela epónima de Françoise Sagan, que tenía veintipocos en esa época, y publicada en 1959), ambos en negro.

«Dior habría querido que (las mujeres) estuvieran a la vanguardia con sus propios diseños abstractos, cuando no parecieran escolares con sus gorros tejidos y trajes con cuellos altos tejidos», afirmaba Jessica Daves, la editora de *Vogue* para Estados Unidos, en su informe sobre París.

Las pieles también estaban presentes en esta colección, aunque con un tratamiento inesperado: combinados con mangas o cuellos tejidos, como ribete en chaquetas de cuero (en la icónica «Chicago», una chaqueta brillante de piel de cocodrilo negro con ribetes de visón y con cierres de lazos de cocodrilo) o convertida en el más lujoso atuendo casual (como «Television», un jersey «para casa» de visón blanco trabajado en bandas horizontales combinado con pantalones largos de terciopelo negro).

«Para darle un aspecto más informal, coloca a sus chicas unos gorros tejidos con forma de bellota», escribía Phyllis Heathcote en *The Guardian*. «Y eso no es todo. Las chaquetas cuentan con mangas tejidas, al igual que los abrigos de piel. Uno de leopardo, sí, eso era divertido, pero ¡qué puede decirse sobre la combinación de unas mangas tejidas con visón!».

Marc Bohan

El custodio

Después de la tormenta viene la calma. Tras los fuegos artificiales de Christian Dior y sus cambios casi constantes en los bajos y la silueta, seguidos por los estilos radicales propuestos por su sucesor Yves Saint Laurent, la época de Marc Bohan al frente de la casa quedó marcada por un clasicismo tranquilo, un desarrollo gradual de estilos, la consistencia.

Eso era exactamente lo que Dior necesitaba. La exuberancia joven de Saint Laurent y las transformaciones constantes de estilo habían desconcertado tanto a los compradores de los grandes almacenes como a los clientes privados que, irónicamente, habían llegado a considerar a Dior una inversión segura en lugar de un drástico innovador de la moda; la prensa también había reaccionado con una hostilidad creciente a los intentos de Saint Laurent por reflejar una sociedad cambiante a través de la ropa de alta costura. Por el contrario, Bohan se movía con los tiempos, pero no los inventaba. Su titularidad resultó ser la más prolongada, incluyendo a la de Monsieur Dior: Bohan estuvo al frente de la casa durante 29 años, desde 1960 hasta 1989.

A diferencia de sus predecesores y sucesores en Dior, hay poca información sobre la vida y antecedentes de Bohan, salvo la que puede reunirse a partir de los artículos y relatos de la época. Nació en París en 1926. Su madre era sombrerera y apoyaba el interés del propio Bohan por la moda. Después de graduarse en 1944, trabajó como empleado en la Banque de Paris, pero se escapaba a los desfiles de moda durante la pausa para el almuerzo. Entonces, en 1945, comenzó a trabajar en la casa de Robert Piguet, emulando la trayectoria del propio Christian Dior. En 1949 pasó a Molyneux, cuyos estilos Dior admiraba intensamente. Bohan intentó fundar su propia casa en 1953, pero cerró después de seis meses debido a la falta de financiación. Pasó a la casa de Jean Patou como diseñador en jefe en 1954, y en 1957 viajó a Estados Unidos para trabajar. Allí, Christian Dior le pidió que dirigiera su filial en Nueva York, en la producción de prendas *prêt-à-porter* para la clientela local, adaptando las líneas determinadas por París. Dior falleció antes de materializar el plan, y las tensiones emergentes entre Bohan y Saint Laurent hicieron que se estancara en 1958, a pesar de los anuncios en la prensa. Bohan se trasladó a Londres para dirigir las operaciones de Dior, y cuando Saint Laurent fue llamado al servicio militar en 1960, Bohan fue nombrado director artístico. Saint Laurent cumplía 24 en 1960,

Bohan tenía una década más. Había trabajado en alta costura durante 16 años, a diferencia de los escasos cuatro de Saint Laurent. El consenso general era que Dior estaba en buenas manos.

La senda de Bohan en Dior resultó ser mucho más complicada de lo que se podía haber imaginado, pero, aunque su talento estaba lejos del genio de Yves Saint Laurent, su resiliencia y consistencia eran precisamente lo que hacía falta para inspirar confianza en la casa. Dirigió Dior a través de los cambios sísmicos que azotaron a la moda contemporánea durante las décadas de 1960 y 1970, ante todo, el auge del *prêt-à-porter* del diseñador que se convertiría en la fuerza dominante en el mundo de la moda. Hasta 1970, la mayor parte de los beneficios de la alta costura provenían de los grandes almacenes y fabricantes en serie que compraban los derechos para copiar los originales de París, con distintos grados de verosimilitud y en cantidades variables. El *prêt-à-porter* lo cambió todo, añadiendo el nombre del diseñador, y el caché, a las prendas producidas en serie, inyectándolas del mismo impacto creativo que sus antecesoras en la alta costura. Se había vuelto predominante a mediados de la década, y todo un gigante comercial. La línea Rive Gauche de Yves Saint Laurent fue pionera del concepto en 1966, pero Bohan y Dior no estaban lejos, y lanzaron una gama de *prêt-à-porter* bautizada como «Miss Dior» en 1967. La ropa masculina se añadiría en 1970, mientras que el imperio cosmético de Dior se había fundado en 1969. Las fragancias, incluyendo la primera para hombres, Eau Sauvage (1966), y Poison en 1985, cosecharon un éxito destacable.

«*N'oubliez pas la femme*» («No olvidéis a la mujer»), dijo Bohan a *Vogue* en 1963. Nunca lo hizo. Junto con las líneas en expansión y los contratos de licencias, Bohan conservó un núcleo leal de clientes devotos en la alta costura, entre los que se encontraban Elizabeth Taylor, Sophia Loren y la princesa Grace de Mónaco, cuya hija, la princesa Carolina, se casó con el industrial Philippe Junot con un vestido diseñado por Bohan en 1978. De hecho, cuando Bohan salió de Dior en 1989, le fue reconocido el haber conservado el mayor número de clientes para la alta costura hecha a medida en París. ¿Qué atraía a esas mujeres? La destreza que era sinónimo de Dior, y el clasicismo inherente a la marca de Bohan sinónimo de una elegancia impecable.

Alexander Fury

El «Slim *Look*»
(«*Look* estilizado»)

«Un aplauso atronador, iniciado por la duquesa de Windsor, inundó los elegantes salones gris y blanco de la casa Dior, un final feliz a la historia de suspense del año de la moda. Estaba en juego el futuro dominio de Dior y la carrera del diseñador Marc Bohan, "Míster Dior, tercero", como sucesor del convaleciente Yves Saint Laurent», anunciaba el *Chicago Tribune*.

«Las aclamaciones, aplausos de la creciente multitud en la presentación a la prensa provocó el caos en el elegante salón», añadía *The New York Times*. «Míster Bohan fue empujado contra los paneles de madera, besado, acorralado y felicitado. Las sillas quedaron volcadas. Las copas de champán, rotas. La gente quedó alucinada. Fue un triunfo total para el diseñador».

Para su primera colección como diseñador en jefe, Bohan presentó lo que denominó el «*look* estilizado»: un estilo simple, flexible, joven y moderno, su versión contemporánea del *New Look* original. El diseñador volvió a plantear el traje de día, con chaquetas de corte amplio y cintura baja, unas faldas con ligero vuelo ajustadas a la cadera y combinadas con los icónicos zapatos con el «tacón coma» curvado de Roger Vivier. El volumen más teatral quedaba confinado a los abrigos y vestidos «globo» del diseñador (página 136, superior).

«Los vestidos de fiesta en chifón, combinados con sombreros de fiesta en baku de color, entraron en un grupo de cuatro con gran brío, recibiendo aclamaciones y suspiros de pura alegría por parte del público», informaba *Vogue*, mientras que para la noche Bohan presentaba sus vestidos entallados con el «*look* estilizado» bordados en organdí, tul o chifón. El espectacular vestido nupcial «Hyménée» (página 137) cerraba la colección.

Bohan «comenzó con la misma inspiración que ha influido en la mayoría de los diseñadores parisinos esta temporada: los últimos años de la década de 1920», indicaba *The New York Times*. «Sus vestidos restaban importancia al busto. Bajó la línea de la cintura hasta las caderas y dio vuelo a la falda corta».

Aclamado por la prensa (*The Times* declaraba que se trataba de un éxito desde la aparición del primer modelo, y dignamente en la tradición del gran maestro), el «*look* estilizado» fue un éxito. Tres meses después de la primera presentación de la colección, *Women's Wear Daily* escribía: «El vuelo de Bohan está en todos sitios. Bohan ha logrado lo imposible: ser un gran éxito comercial y respetado por los intelectuales de la moda».

«Charm 62»
(«Encanto 62»)

«Flexible, sinuosa y móvil». Así describían las notas de prensa esta colección bautizada como "Charm 62". Una cabeza despejada, hombros reducidos, un busto alto, torso alargado, caderas sin destacar. Las faldas pueden llevar nesgas amplias para extenderlas o son rectas, apenas destacando ligeramente en el bajo a la altura de la rodilla», y conservan el «vuelo Bohan» que el diseñador introdujo en Dior la temporada anterior (*véase* página 132).

El «*look* estilizado» permanecía en el corte de los trajes: «las mangas ajustadas o mangas guante son largas y estrechas, los corpiños, cortos». A menudo «se llevan con abrigos forrados de piel muy cortos, a veces con capuchas o con "chaquetones" ajustados sobre el busto para irse ensanchando y crear un efecto cono».

Las capuchas, cuellos bufanda o muy altos de la colección, atrajeron la atención de *Vogue*, quien informaba a sus lectores que «la mayor diferencia está en el aspecto de la cabeza, el *look* más novedoso, el diminuto sombrero calot de Dior, como un gorro glorificado, con el cabello suavemente ondulado hacia afuera: encantador, desenfadado, impecable como la rosa de una princesa persa».

Uno de los conjuntos más destacados de la colección, un vestido de noche largo en muaré rosado con estola a juego (página siguiente, en una presentación especial realizada para el Fashion Group International, como lo harían las siguientes colecciones de Bohan), fue fotografiado por Irving Penn para la revista, que describía la colección como «enorme, brillante, lujosa y hermosa». «Las telas de noche comprendían gloriosos brocados, terciopelos, con cuentas y pieles, muaré rosado con un aspecto muy suave e inesperadamente delicioso entre los oscuros abrigos de terciopelo veteados de marta... Las prendas de noche, en una palabra, una palabra televisiva, eran espectaculares», concluía *Vogue*.

«Lightness, Suppleness, Femininity» («Ligereza, flexibilidad, feminidad»)

«Ligereza, flexibilidad, feminidad»: estas eran las características de las creaciones de esta temporada, según las notas de la colección. «El estilo es libre y muy simple, pero de ninguna manera descuidado, y hay una detallada sutileza en sus detalles».

«Los hombros son normales, los torsos, estilizados y alargados al máximo, las caderas son redondeadas. Las faldas con una única o múltiples "facetas" se detienen justo encima de la rodilla, allí donde la pantorrilla comienza su curvatura», afirmaba la casa. Las blusas estaban cortadas en tela de lana para el día y se combinaban con trajes contrastantes.

El vuelo característico de Bohan aún estaba presente, con sus abrigos «destacados sobre el cuerpo y ondeando suavemente en una línea intacta» y los vestidos de noche con «un busto alargado y faldas con volumen en la espalda», como el entallado verde (página siguiente, derecha) captado por William Klein para las páginas de *Vogue* («El esmerado entallado en crepé verde de Dior, solo para las esbeltas», advertía la revista).

«Ligne Flèche» («Línea flecha»)

Bautizada «Ligne Flèche» como un reflejo de la colección de 1956 de Christian Dior del mismo nombre (*véase* página 90), las creaciones más recientes de Marc Bohan estaban diseñadas para la nueva mujer Dior que viaja con frecuencia por el mundo durante todo el año, saltando de un continente a otro.

«Un diseñador no debe encontrarse en desventaja cuando se enfrenta a los repentinos cambios de clima que conlleva el viajar en avión, ni por el hecho de que los deportes ya no dependan de la temporada, ya que los cielos azules se encuentran a una corta distancia de vuelo», afirmaban las notas de la colección.

«Impresionado por las modificaciones que han tenido lugar en la vida doméstica, con sus pequeñas fiestas de cóctel o televisión, Bohan tenía la sensación de que debería adelantarse para poder ofrecer a las mujeres elegantes toda una nueva serie de ropa urbana, atuendos de viaje, prendas para el fin de semana adecuadas para la práctica del deporte o las fiestas de caza y una amplia selección de prendas informales para el hogar».

Los conjuntos recibieron nombres muy a tono para los trotamundos, desde «Air France» hasta «Noël à Palm Beach» («Navidad en Palm Beach»), «París Tokio», «Saint Sylvestre à Rio» («Fin de año en Río») y «Soirée à Bangkok» («Velada en Bangkok»).

Caracterizada por «hombros redondeados, bustos con un énfasis adecuado, cinturas siempre destacadas (y) caderas estilizadas», la «Lígne Flèche» de Bohan buscaba una silueta alargada. Sus vestidos entallados para la noche, en particular, bordados o veteados en piel, presentaban cinturas «elevadas» para «destacar el busto y alargar las piernas, que a menudo son visibles a través de paneles abiertos o telas transparentes» y se complementaban con «joyería oriental laqueada y en oro con piedras preciosas».

«Tapered Silhouette» («Silueta cónica»)

Bautizada como «Tapered Silhouette» (o «Ligne Effilée»), esta colección estaba centrada en el busto, y recordaba la línea de busto elevada y esbelta de las creaciones del diseñador en la temporada anterior (*véase* página 142).

Pretende presentar unas «líneas sinuosas que fluyen al unísono desde la clavícula, exactamente en el ajuste de la manga cerca del escote», según las notas de la colección. «Unas largas pinzas describen la silueta, mientras que la cintura se perfila con la sutileza del movimiento. Unas sisas superanchas realzan la línea del busto».

Unos trajes intensamente coloreados con «chaquetas cortas y simples» en contraste con sombreros espectaculares: «Círculos perfectos y enormes de paja ligera o trenzada [para] enmarcar la cara con un brillo alegre y precioso», mientras que los vestidos de noche estaban bordados con motivos florales en altorrelieves multicolor.

«La moda, al igual que el estilo de vida actual, es una evolución», proclamaban las notas de la colección. «Rápida, sin duda, pero lógica. Ya no es una revolución. Ya no exige cambios repentinos, casi brutales, en la silueta. Cada vez más, la silueta es cuestión de elegancia en el corte, de sutileza en el detalle y el diseño».

«Squared Shoulders» («Hombros cuadrados»)

Para esta nueva colección, Marc Bohan eligió
acentuar la anchura de los hombros, junto con
los «escotes altos, dando importancia a los cuellos
y escotes, un busto suave, cinturas marcadas
[y una] longitud para el invierno: los bajos justo
bajo la rodilla», indicaban las notas de la colección.
«Las mangas se insertan limpiamente y enfatizan
la línea cuadrada del hombro».

«Marc Bohan sacó a sus modelos a lucir las
amplias hombreras de un equipo de fútbol de alta
costura», escribió Patricia Peterson para *The New
York Times*, elogiando el uso de «unos de los *tweeds*
más emocionantes en la ciudad en tonos madera
y pastel» en las prendas de día del diseñador.

Elogiando «la nueva línea de los hombros de Dior
encuadrada en dos costuras sobre los hombros»,
Vogue informaba sobre los «escotes dobles, muchos
de ellos cuellos altos vueltos» y «encima de todo:
cascos, de altura media, con bandas lisas, llevados
—como todos los sombreros de París— directamente
sobre las cejas».

Los vestidos de noche eran «fluidos y alargados por
una cintura elevada» (continuando con la colección
previa del diseñador), «ya sea con cuellos altos o
escotes bajos y cuadrados», complementados con
vestidos formales de baile con «siluetas finas,
precisas y esculturales», explicaba la casa.

«The New Way of Life»
(«El nuevo modo de vida»)

«La moda no puede darse el lujo de permanecer
estática. Tiene la obligación, incluso, de ir un compás
por delante del ritmo de la existencia moderna e
integrarse en "el nuevo estilo de vida"», proclamaba
la casa al introducir una colección de alta costura
contemporánea y relativamente atrevida, elogiada
por *The New York Times* como «triunfalmente joven...
casual y fácil para convivir con ella».

«Para viajes o cruceros, para casa o la ciudad, en
cualquier clima y latitud, cualquiera que sea el
cambio de lugar o ritmo, el cuidado más extremo
en la elección de telas y accesorios y en todo detalle
contribuye a perseguir la feminidad y el encanto
evidentes en la "Línea 64" de primavera», rezan
las notas de la colección.

Destacan los «cuellos en V, escotes de pico... [y]
faldas plisadas con movimiento», aunque la colección
también proponía unos cómodos «abrigos cruzados»
(«geométricos y estrictos con manga raglan») y una
nueva línea de prendas «llenas de carácter y lujo»:
chaquetas y pantalones para viajar en avión, conjuntos
para cócteles y fiestas en yates y cruceros con un
ajuste más relajado.

Según *Vogue*, la estrella de la colección era la creación
bautizada como «Tom Jones» (derecha): «El vestido
para última hora del día en crepé azul marino de
Marc Bohan... una de las sensaciones de su colección
para Dior, inspirada en la divertida película inglesa»
[la adaptación de 1963 de la novela clásica de Henry
Fielding, dirigida por Tony Richardson], que la
revista describía como «el vestido más comentado de
París». «Los ánimos por "Tom" están muy altos, pero
los escotes son bajos, y así es este: atrevidamente
bajo y amplio», continuaba *Vogue*. «Las mangas
poéticamente largas con una pequeña gardenia
blanca sujeta en una muñeca, la falda, toda plegada
en acordeón, airosa y llena de movimiento».

Trajes «Pyramid» («Pirámide») y vestidos de tubo

«Dior: exquisito, práctico, lujoso», escribía la editora de *Vogue*, Diana Vreeland, en su informe sobre las colecciones de París. Definida por «una línea de hombros más suave con corte raglan, un busto alargado, doble fila de botonadura con amplios espacios, detalles románticos» y «faldas amplias recogidas al estilo campesino», según las notas de la presentación, la colección también proponía «vestidos de tubo... con profundos escotes en pico y mangas largas», «"blusas mujik" en lamé, chifón, crepé y terciopelo, a veces veteadas en piel», y «"vestidos Rococó"... bordados en azabache».

Vogue elogiaba las dos líneas contrastantes en la colección y aclamaba a «Marc Bohan por su doble éxito en sus trajes para Dior: las amplias pirámides con gran movimiento [frente] a las formas ajustadas al cuerpo».

«El traje pirámide para un día tormentoso en popelina color carbón con un jersey de lana y una falda pantalón; destellos como relámpagos del charol...; zapatos como botas cortas, recortadas debajo del tobillo» (derecha) fue fotografiado por Irving Penn para la revista, al igual que otros ejemplos del «*look* estrecho de Dior, ajustado al cuerpo pero sin tocarlo... pequeños hombros perfectos... mangas estrechas y largas en abrigos cortos; trajes formales de ciudad con chaquetas de botonadura alta recortadas sobre faldas sencillas».

El material estrella era la chenilla, afirmaba la casa, «empleada en las prendas de punto, los bordados, los remates y con frecuencia para la prenda completa». Una de las alianzas más preciosas», informaba *The New York Times*, «estaba compuesta por una chaqueta de chenilla gris topo, que tenía el aspecto de haber sido tejida a ganchillo por una abuela habilidosa, sobre un largo vestido de satén de caderas amplias en un rosa intenso (página siguiente, superior derecha).

Los pañuelos para la cabeza complementaban una serie de conjuntos, «con flecos o sin ellos, en la misma tela que el traje», destacaban las notas de la colección.

«The Mysterious Orient»
(«El misterioso Oriente»)

Marc Bohan se ciñó a un estilo oriental para su
colección, en la que presentaba una serie de vestidos
túnica recortados, «pálidos como el interior de una
concha» (como los describía *Vogue*), a la altura de
la rodilla para el día y largos para la noche, como la
túnica en crepé rosa y la falda trabada con estampado
de grandes flores blancas (página siguiente, centro).

Los motivos florales se volvieron multicolores
en «Hindoustan» (página siguiente, superior derecha),
la creación en crepé que *Vogue* aclamó como
«sensacional... un caftán estrecho drapeado en el
bajo... el estampado de Compagnie des Indes en
verde jade, azul Bristol y rosa sobre blanco... como
un algodón del siglo XVII», con «diminutos botones
de falsa esmeralda» al frente.

Los trajes no quedaron en el olvido, ya fueran
sin cuello, con pequeñas mangas y sisas estrechas,
o más amplios en lana o punto con cinturones, rayas
y pliegues al frente, con grandes lazadas al cuello.

«La colección más hermosa fue la de Bohan para
Dior», proclamaba *The New York Times*, comentando
«el misterioso Oriente de turbantes y vestidos
fluidos [que] influyeron sobre muchos modistas»
esa temporada.

Tejidos con plumas

Definida por una «silueta perfilada, nuevas caídas
suaves, un busto largo y extenso... y faldas sencillas»,
la última colección de Marc Bohan para la casa
innovaba con la introducción de un nuevo material:
una tela de lana tejida especialmente con plumas,
y empleada en conjuntos como «Pintade» (derecha).

«Las plumas aparecen en toda la colección, pero
no aterrizan en lugares predecibles», escribió Gloria
Emerson para *The New York Times*. «Un traje de lana
gris tiene una chaqueta de pluma hecha con pintada.
Un abrigo cárdigan de lana beis, redondeado y
curvado, está cubierto con plumas de perdiz».

Diana Vreeland de *Vogue* destacaba «esta nueva
proporción en Dior: sombreros de ala ancha en fieltro
suave se llevan con trajes pequeños de hombros
estrechos». Los grandes sombreros, inspirados en
Frans Hals, el pintor neerlandés del siglo XVII,
se combinan con chaquetas que llevan «grandes
lazadas bajo el cuello», añadía *The New York Times*,
interpretando los vistosos tocados como «la primera
señal de que los grandes sombreros están de vuelta».

Los bordados estaban ricamente texturados,
con azabache y marcasita, y los vestidos de noche
presentaban complejos lazos a la espalda, pliegues
y drapeados; «igualmente atractivos: los *looperoo*
de Dior, vestidos con una suave bolsa de amplitud
circular con caída por la espada y sujeta en la nuca
o la cintura», informaba *Vogue*.

«In a Mexican Mood»
(«Con un aire mexicano»)

«Dior tiene un aire mexicano», titulaba *The New York Times* su informe sobre la colección inspirada en el reciente viaje de Marc Bohan a México y uno de sus más coloridos. «El fucsia es el color preferido», indicaban las notas de la colección, «y aparece en toda la colección, en compañía del verde ácido, el amarillo intenso, el rosa vivo y el púrpura oscuro».

«Los estampados, todos exclusivos y con temática mexicana, son de *shantung* y chifón» y presentan «grandes motivos en colores chillones y contrastantes», indicaba la casa. Los ejemplos más llamativos de estos tejidos, creados por Brossin de Méré, eran los pijamas de noche de Bohan (página siguiente, inferior derecha), descritos por *Vogue* como «un llamativo circo de color, en un voluminoso derrame de chifón suelto [que] desborda sobre el cuerpo con la extravagancia de un bombacho de Pierrot».

Parecidos a los vestidos «Goa» pintados a mano y en teñido anudado (*tie-dye*) que John Galliano crearía para Dior décadas más tarde (*véase* página 349), los pijamas en seda de intensos colores de Marc Bohan captaron la atención de los editores de *Vogue* de tal manera que reaparecieron en la revista poco después de los informes sobre la colección de París, con fotografías de Richard Avedon y lucidos en la ocasión por una joven Barbra Streisand.

Los sombreros eran otro punto fuerte, decorados con «estampados mexicanos» o fabricados con materiales poco habituales como «madera, corcho o plástico» en formas extrañas, explicaban las notas de la colección. También había «escotes de hombros caídos copiados de las blusas mexicanas», destacaba *The New York Times*.

Abrigos militares
y hombros recortados

«Los gabanes con faldones largos que cubren la parte
superior de las botas desfilaron hoy en la colección
de invierno de Marc Bohan para Christian Dior»,
informaba *The New York Times*. «Bajo los abrigos, entre
los uniformes de las tropas zaristas y los cadetes de
West Point, se encuentran trajes o vestidos femeninos...
Bohan los denomina conjuntos «soldado de plomo»,
porque sus abrigos a la altura del tobillo cuentan con
charreteras, botones de latón, martingalas o amplios
cinturones de piel con hebillas cuadradas inspiradas
en los talabartes».

Contaba con «trajes con chaquetas flexibles, que
siguen el contorno del cuerpo» y «sin cuello, y en
ocasiones con una única solapa vuelta», destacaban
las notas de la colección, mientras que las blusas
eran «"camisetas" de crepé en colores brillantes, en
contraste con los tejidos de lana de los trajes».

«La larga manga trompeta de la última colección
de Dior (*véase* página 156) está de vuelta», indicaba
The New York Times, «pero ahora Bohan la ha recortado
con tal profundidad que se abre a la altura del codo.
También hay un recorte Dior: una abertura oculta que
muestra el hombro [con] grandes diamantes falsos
en cada extremo del corte».

Para la noche, contaba con «largos vestidos flexibles,
rectos o con vuelo, en crepé negro o de colores
intensos, que se llevan con capas "Nanny" o largos
abrigos de lana», así como delicadas «*gandura* [túnicas]
largas en encaje transparente sobre entallados
vestidos brillantes», declaraba la casa.

«African Style»
(«Estilo africano»)

Décadas antes de la silueta Masai-Dior de John Galliano
(*véase* página 260) y su colección con influencias
africanas (*véase* página 470), Marc Bohan buscó
inspiración en el continente africano para su colección
de alta costura.

El diseñador presentó dos tipos de traje: el «Safari»
(«con chaquetas largas y bolsillos de parche») y el «traje
de chaqueta corta y cuello camisero», ambos combinados
con sombreros de fieltro «Safari»), indicaban las notas
sobre la colección.

Para la noche, los estampados eran de «Estilo africano»,
«Vestidos Tótem» («ya sea sujetos a un cuello plastrón
o bordados con diseños nativos»), «vestidos Boubou»
(«asimétricos, con un hombro desnudo, en crepé,
shantung o gasa multicolor e incluso en organdí blanco
bordado o con plumas»), «vestidos Creeper» («ceñidos
al cuerpo y con cinturones de cadena con amuletos
o bordados asimétricos»), «conjuntos de Explorador»
(«llevados con chaquetas estilo parche en crepé
estampado en "Virgin Forest" y con cinturones de
cadena plana») y «vestidos Bermuda» («con falda larga
en crepé liso o estampado para bailar»).

Los accesorios eran acordes a la temática de la
colección, desde cinturones de «amuletos» o «semillas»
hasta botones de madera («del detalle más novedoso,
un canesú sujeto al cuerpo de un vestido por medio
de nueces laqueadas o medialunas y bolas doradas»,
anotaba *The New York Times*) y bordados de «estilo
africano» («lentejuelas de madera, carey o doradas
en los diseños Tótem o máscaras africanas en colores
abigarrados», explicaba la casa).

«Romantic Style»
(«Estilo romántico»)

Con sus «cuellos corbata; chorreras; puños de encaje,
flecos o plumas [y] cuellos altos», la última colección
de Marc Bohan se centraba en el «estilo romántico»,
según explicaban las notas para la colección (un
estético John Galliano la recuperaría en sus propias
colecciones románticas, *véanse* páginas 496 y 512).

Con una «silueta flexible y con cinturón» y un bajo
que terminaba justo encima de la rodilla, la colección
llevaba como accesorios «amplios cinturones militares
a la altura de las caderas con hebillas redondas
y transparentes en carey o laqueadas en negro»,
sombreros de fieltro de ala ancha o «clericales»
(*chapeaux d'abbé*) con «copas bajas y alas vueltas
hacia arriba», y zapatos negros de charol.

Para el día, Bohan presentó una serie de lo que *Vogue*
describía como «abrigos de mozo de cuadra de Dior»,
junto con «chaquetas cortas y ajustadas con bolsillos
de parche y cuello redondo [que se llevan] sobre
faldas flexibles y amplias, ocasionalmente tableadas»,
destacaban las notas de la colección. También
contaba con «redingotes ceñidos al cuerpo» y «capas
desde la mañana hasta la noche, muy flexibles y,
en ocasiones, dobles».

Para la noche, el diseñador creó «vestidos ceñidos
con cinturones anchos, mangas amplias y puños de
encaje, organdí o chifón», así como «vestidos de suave
terciopelo, satén, crepé o chifón con manga larga
estilo corola».

«En la enorme, hermosa, inventiva pasarela de
Dior esta mañana», declaraba *The New York Times*,
«Marc Bohan... hizo que sus vestidos y trajes negros
sentaran tan bien como un guante».

Bordados bizantinos

Marc Bohan se inspiró en Oriente para sus colecciones
de 1968 de primavera / verano (derecha y página
siguiente, superior izquierda e inferior izquierda) y
otoño / invierno (página siguiente, superior derecha
e inferior derecha) de alta costura, con guiños
particulares al estilo del Imperio bizantino del
siglo VI (cuando Teodora era su emperatriz), según
se representa en los ricos mosaicos de la basílica
de San Vital en Rávena.

Para la primavera, el diseñador imaginó caftanes
y vestidos de noche, incluyendo una «bata túnica
Teodora en mosaico», informaba *Vogue*. También
presentó vestidos de volantes (tipo boho) de gran
fluidez e intensos colores, como el conjunto rojo
(derecha) que más tarde modelaría Twiggy y sería
fotografiado por Richard Avedon para *Vogue* (que
describió su «avalancha de rosas en la muñeca
y el bajo, un repiqueteo de oro *gitano*: el turbante
púrpura deja caer sus flecos sobre las largas y sueltas
mangas de volantes»).

«Es una colección llena de miel, flores y ondas»,
anunciaba *The New York Times*. «Hay momentos en los
que Marc Bohan, el diseñador de Dior, muestra que
en lo más profundo de su ser hay un pequeño *hippie*
que pide salir».

La colección de otoño / invierno para la casa
(presentada unos pocos meses después de los inicios
de las protestas de mayo de 1968 en París) muestra
ricos bordados de un estilo similar: túnicas, monos
y vestidos de noche adornados con «bandas, y un
pergamino bizantino en turmalinas, cuentas doradas,
hilos de plata», escribía *Vogue*.

La revista también destacaba la ropa de día del
diseñador, y elogiaba «los fantásticos trajes pantalón
de Dior». «Las proporciones son soberbias», proclamaba
la revista, «no hay un traje pantalón que luzca mejor
en todo París».

Plástico y pieles

La colección de primavera de 1969 de Marc Bohan
(derecha y página siguiente, superior izquierda)
combinaba «los *looks* de día intensos, un corte
perfecto y toda la prisa del mundo (adornados
con el logo de Dior impreso que John Galliano
reinterpretaría más de treinta años después, *véase*
página 316) con «adorables chicas Renoir» en vestidos
blancos o de color pastel», informaba *Vogue*. Muy
cortos, estos delicados vestidos de seda llevaban
pliegues, volantes o bordados de piezas de plástico
blanco que creaban un motivo floral moderno, como
el conjunto blanco (derecha, superior).

No existen fotografías o registros de la colección
otoño / invierno 1969-1970 de Bohan, aunque creó
una colección de *haute fourrure* (alta peletería) para
la misma temporada, diseñada por Frédéric Castet
(derecha, inferior). Estaba compuesta por pieles
impresionantes, desde creaciones con estampados de
leopardo o cebra (a menudo combinadas con botas y
sombreros a juego), que recordaban la preferencia de
Dior por los estampados animales (*véanse*, por ejemplo,
páginas. 24, 33 y 39), hasta los *looks* geométricos de
colores intensos, como el abrigo de castor rosa y
blanco (derecha, inferior izquierda), «un abrigo corto
intensamente vibrante que juega con la piel como
si se tratara de un póster», escribía *Vogue*.

Velos y cachemira

La colección de primavera / verano 1970 de Marc
Bohan (*véase* derecha y página siguiente, superior
e inferior izquierda) fue particularmente elogiada
por la prensa por sus creaciones para el día. *Vogue*
comentaba sobre «los soberbios abrigos de Dior, cada
uno más deseable que el anterior... con cinturones...
un cuerpo diminuto, el cuello más sobrio cerrado
hacia un lado».

«Lo que resulta memorable en Dior no solo son los
abrigos», añadía *The New York Times*, «sino el corte de
los trajes de tejido jersey... las camisas, y los vestidos
con la seguridad de la blusa abotonada en crepé de
China negra, remetida y plisada únicamente al frente».

Los velos y chales eran otro punto fuerte de
la colección, con «los chales de ante de Dior» y «las
maravillosas faldas pantalón tipo gaucho en ante
color caramelo, todo ello envuelto en un enorme y
elegante chal de seda con estampado de cachemira
y adornado con un fleco negro», escribía *Vogue*.

Para el otoño / invierno (página siguiente, superior e
inferior derecha), Bohan presentó «pequeñas chaquetas
prácticas y encantadoras, jerséis con cinturón,
asombrosos pantalones y faldas para llevar con
buenos abrigos y capas forradas de piel y pequeños
sombreros de fieltro y tipo campana a ganchillo»,
informaba *Vogue*.

La temática del estampado de cachemira de la
colección primavera / verano también se vio repetida
en los abrigos de noche y las faldas acolchados en
satén veteado con pieles. «Cualquier mujer, en cualquier
lugar de la Tierra, querría poseer una de estas prendas
absolutamente femeninas», proclamaba *Vogue*.

Cuellos redondos
y mangas capa

«Marc Bohan, el diseñador de Dior, se dedicó a
mostrar al mundo una colección de primavera
y verano que más o menos modernizara el aspecto
de la ropa casual de la década de 1940 y, para la
noche, tuviera el aspecto etéreo y romántico de
la década de 1930», escribía Bernadine Morris para
The New York Times.

Las creaciones de la casa para esa temporada
(derecha y página siguiente, izquierda, superior
e inferior) incluyen «chaquetas tipo *blazer* de cortes
limpios y hombros amplios, abrigos con vuelo cortos
sin cuello y trencas casuales», añadía Morris, mientras
que para la noche contaba con «vestidos vaporosos
con mangas capa o cuerpos capa».

Uno de los puntos fuertes de la colección, según
Vogue, era un abrigo de hombros anchos, cuello grande,
enormes bolsillos y doble botonadura en una felpa
de lana blanca radiante, en el que querrá envolverse
toda mujer sobre la Tierra (página siguiente, inferior
izquierda).

Para la colección de otoño / invierno (página siguiente,
derecha), Bohan presentó «prendas hermosas que a
menudo son opulentas», escribía *The New York Times*.
Los efectos se consiguen gracias a la costura y
confección a la manera de los sastres de larga
tradición. Para ser más específicos, hay unos abrigos
encantadores, de cuerpo pequeño y gran vuelo,
a partir de una línea de cintura alta».

Bohan «ha creado una colección que es tan profunda
y lujosa como sentarse en un Maserati con un
espléndido chal de pieles», añadía *Vogue*. «Pequeños
trajes encantadores, eternos. Abrigos maravillosos...
grandes cuellos redondos en todos ellos».

Pieles y trajes pantalón

«Romance al estilo contemporáneo es el *look* parisino
para esta temporada», declaraba *The New York Times*,
según el cual la colección de Bohan para Dior
(derecha) es la mejor de la temporada en París. «Marc
Bohan ha tenido éxito al recuperar la legendaria
elegancia sin rayar en lo histórico. No hay referencias
a las décadas de 1930 o 1940. Las prendas parecen
auténticamente contemporáneas», escribía Bernadine
Morris. «Son para mujeres que están cansadas de la
fase estrafalaria de la moda [e] incluye una gran
cantidad de pantalones con novedosas chaquetas caja
o acampanadas».

Los registros sobre la colección otoño / invierno
1972-1973 de Bohan no han sobrevivido. Una colección
de *haute fourrure* (alta peletería) para la temporada,
diseñada por Frédéric Castet (página siguiente)
empleaba de manera audaz las iniciales «CD» y
reinterpretaba el ajusta alargado de los trajes pantalón
en su colección de primavera / verano en versiones
con pieles estampadas en cebra o leopardo (una de
las cuales, en visón, fue modelada por Pat Cleveland
y captada por Irving Penn en las páginas de *Vogue*).

Rayas y lunares

Marc Bohan presentó una colección ligera y luminosa
para la primavera, en la que dominan los tonos de
blanco y animada por patrones gráficos. Los trajes
de día informales (con faldas plisadas a la altura de
las rodillas) resultaban particularmente asombrosos,
con sus chaquetas a juego con rayas o lunares, faldas,
blusas e incluso sombreros.

«Las colecciones de esta primavera tienen un cierto
espíritu, una fascinación que tiene que ver con la
manera en la que una mujer moderna se mueve
con la ropa que lleva puesta y la manera en la
que la ropa se mueve con la mujer», informaba *Vogue*.
«Las siluetas que fluyen con el cuerpo... siluetas
que se adaptan bien al cuerpo, pequeñas y flexibles,
incluso en trajes y abrigos. Nada resulta superfluo.
Todo está reducido a lo esencial. Simple, muy
sofisticado... ultrafemenino».

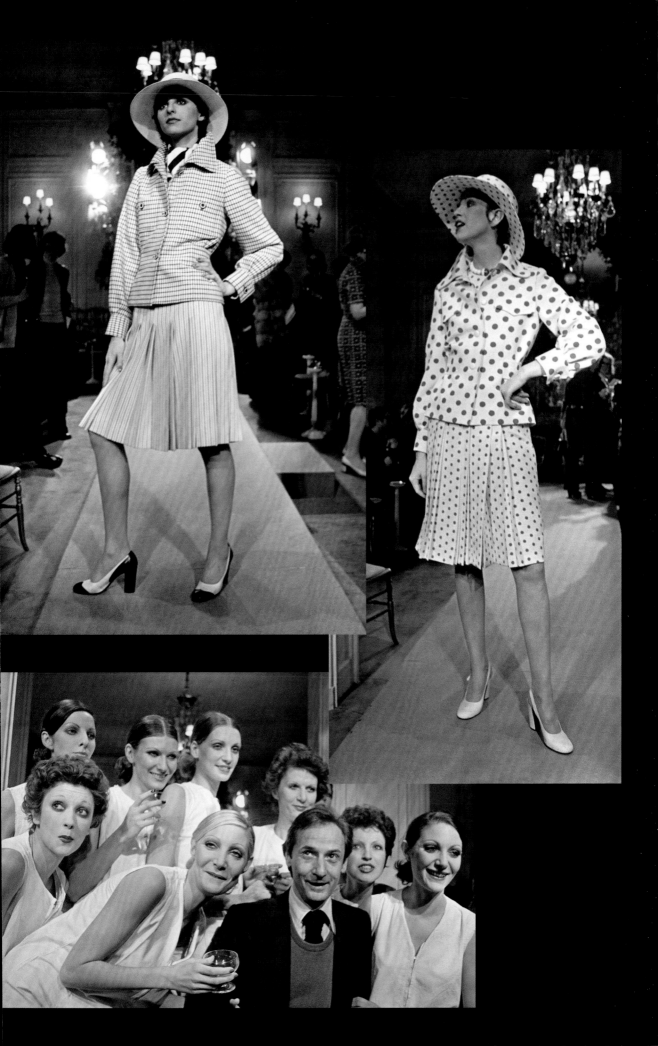

«A Bit of Razzle-Dazzle» («Algo un poco llamativo»)

«Dior era la marca que tenía algo un poco llamativo», era el título del informe de *The New York Times* sobre las colecciones de alta costura de París. «Tenía todos los cuidados pequeños toques que definen a una prenda cara, como las blusas estampadas con el patrón del *tweed* de lana de los trajes a los que acompañaban, con un pequeño pañuelo con el mismo diseño para atar alrededor del cuello».

Los trajes pantalón, incluyendo unos atrevidos conjuntos en cuero y pieles, se hacían eco de la línea alargada de las colecciones previas del diseñador para la casa, y una nueva versión de la impresión con el logo de Dior animaba un abrigo ribeteado en pieles a la altura de la rodilla (página siguiente, superior y derecha), ambos diseñados por Frédéric Castet, para la colección de *haute fourrure* (alta peletería) de la casa.

«Contaba con unos vestidos de crepé de China pálido para la última hora del día, con un abdomen amplio y ceñido que el diseñador Marc Bohan lleva perfeccionando durante un año aproximadamente», añadía *The New York Times*. «Parecían tan gráciles con sus faldas amplias que nadie se quejó sobre su longitud por debajo de la rodilla. Y entonces, por supuesto, llegaron los habituales y asombrosos vestidos de noche, brillando y luciendo con todo su poder», con boas de plumas y zapatos de plataforma y tacón a modo de accesorios.

Vestidos de lencería
y pijamas «pitillo»

Marc Bohan infundió su colección de primavera /
verano (derecha) con «la lencería de tacto más
delicado jamás vista», escribía *Vogue*, vistiendo
a la actriz Charlotte Rampling con las creaciones
de Dior en crepé georgette de seda para su informe
sobre alta costura, fotografiado por Helmut Newton.
«El largo no importa», declaró Bohan, «puede ser
corto, a media pantorrilla o a la altura del tobillo,
y siempre será precioso».

Para el otoño / invierno (página siguiente), el
diseñador lanzó los pantalones-pijama «pitillo»
más cortos: «pantalones estrechos que acaban justo
encima del tobillo», combinados con una «chaqueta
camisera en lamé o un crepé de satén muy flexible,
y sandalias», indicaban las notas sobre la colección.
También adoptó la longitud hasta el tobillo en los
vestidos de noche, en la que había «mangas capa
que ondeaban sobre los brazos» así como «vestidos
de dos piezas con largos cuerpos tipo túnica con un
aspecto perfecto con los largos mayores», informaba
The New York Times.

Estampados puntillistas
y chaquetas con capucha

Para la primavera (derecha), «Marc Bohan vuelve
con gran suavidad y belleza a la silueta estilizada»,
observaba *Vogue*. «Presenta impresiones *pointilliste* [*sic*]
inspiradas en los pintores impresionistas», décadas
antes de las creaciones «puntillistas» de Raf Simons
para Dior (*véanse*, por ejemplo, páginas 535 y 588-589).
«Los colores son gloriosos, destacan contra la piel.
Sus vestidos de suave crepé de China estampados
presentan un escote limpio, el más bonito, un V bajo
tan amplio que en ocasiones se desliza por el hombro».

Al informar sobre las colecciones de alta costura de
otoño / invierno (página siguiente), *The New York Times*
declaraba: «Los estilos de alta costura de Míster
Bohan tienen un aspecto cómodo y natural. Sus
faldas plisadas envolventes y cruzadas, con una grácil
caída, son una aportación importante en el escenario
de la moda de otoño».

«Marc Bohan sabe qué atrae a las mujeres en la ropa»,
también decía *Vogue*, «la suavidad de la tela, la línea
estilizada, el detalle *precioso*. Lo demuestra en todo
lo que hizo, comenzando con un grupo de abrigos
muy buenos, de lujo. Abrigos que variaban desde un
impermeable con capucha y ribeteado de pieles hasta
un abrigo camel de siete octavos, pasando por un
poncho de abrigo con capucha y forro simple».

Entre lo más destacado para *The New York Times* se
encontraban «numerosas chaquetas de popelina de
seda [con] ribetes de pieles, capuchas vueltas sobre
gorros a ganchillo en la cabeza, que a su vez cubren
unos peinados sencillos y cortos», que se consideraban
particularmente «contemporáneos».

Ropa casual a medida

La colección de alta costura para primavera / verano
de Marc Bohan para Dior (derecha y página siguiente,
interior izquierda) se basaba en una hechura al estilo
masculino. «Aunque las prendas de alta costura pueden
ser pesadas, las suyas son delicadas, incluso sus trajes
de estilo masculino», escribía *The New York Times*.

«La consigna estos días es "cómoda", y Bohan la
consigue con cordones. Es un tema recurrente, desde
los trajes sastre hasta los vestidos de chifón, y capta
la sensación de suavidad que todos buscan... Las
faldas generalmente suelen ser estrechas para la
primavera, y Bohan consigue que sean prácticas y
atractivas a la vez, abriendo los laterales para que
las mujeres puedan caminar».

Su colección otoño / invierno (página siguiente,
superior izquierda y derecha) se abría con «ropa casual
a medida: pequeños trajes con cuadros y rayas... seda
con forros de pieles, con ribetes de pieles», informaba
Vogue. «La ropa casual prefiere las túnicas de punto
y los pantalones rectos, sus trajes varoniles tienen
hombreras, y los pantalones bombachos son un
leitmotiv para la noche», observaba *The New York Times*.

Hombros desnudos
y zorro blanco

«Marc Bohan proporciona a los espectadores de
Dior muchas cosas agradables esta temporada»,
informaba *Vogue* sobre su colección de primavera /
verano de alta costura (derecha). «Lo hace con sus
pequeños vestidos burbuja cortos. Y lo hace dando a
los hombros una de las bienvenidas más preciosas
a la ciudad: desnudos, enmarcados en volantes
y finas mangas globo, y el cuello está envuelto
en un pañuelo vaporoso».

La colección de otoño / invierno del diseñador
(*véase* página siguiente) proponía una serie de
conjuntos igualmente glamurosos, incluyendo el
traje pantalón de Jacquard de seda blanca con zorro
blanco, perlas blancas y debajo la desnudez de una
suave camisola blanca, que *Vogue* predijo sería
un éxito de ventas «infalible» esa temporada.

La aficionada a los trajes pantalón Bianca Jagger se
encontraba entre el público, y «dijo que le encantaba
todo: las capas, los volantes, el traje pantalón de
corte masculino», afirmaba *The New York Times*. «Como
fondo musical, las melodías de espectáculos de la
década de 1950 ("Gigi", "My Fair Lady") y los estilos
llevaban reminiscencias de esa época. Las faldas
abullonadas. Las chaquetas ablusadas... Las telas
también eran un reestreno: crujiente gazar de seda,
brillantes brocados metálicos, *matelassés* acolchados...
Presentaba muchos estampados, incluyendo un
magnífico chifón rojo floreado».

Ecos de la década de 1940

Vogue elogiaba «el crujido de los trajes atrevidos /
garbosos» en la colección de primavera / verano
(derecha), al desdcubrir las prendas para la noche
de la casa como «una mezcla mágica de opulencia
sin cuartel».

«La novedad de la temporada era el retorno del traje
sastre», proclamaba *The New York Times*. «Contenía
trajes pantalón a cuadros con camisas a cuadros,
corbatas estrechas, y paraguas empleados a modo
de bastón», informaba el periódico, mientras que para
la noche Bohan proponía «vestidos de crepé pálido...
fluidos vestidos de organdí blanco embellecidos con
cinta de satén trenzada en la cintura [y] rosas de
marquesita blanca y roja bordadas en la falda».

Para el otoño (página siguiente), «Bohan ha
retrocedido a los años previos a Dior», anotaba
The New York Times. «Al igual que el resto de los
diseñadores de moda, se ha reencontrado con lo que
se describe como el retorno de la década de 1940
y finales de la de 1930 de Elsa Schiaparelli». El tema
principal de la colección era «los hombros anchos
y la silueta estrecha», a menudo confeccionada en
satén negro.

Fajines de cuero
y faldas de diamante

«La estrella de la pasarela Dior era la chaqueta
amplia, combinada ya fuera con una falda estrecha
o un par de pantalones, y que siempre se mostraba
con cinturones, en su mayoría con fajines de cuero»,
informaba *The New York Times*. Al describir la
colección de alta costura de primavera / verano de
esta temporada de Marc Bohan (derecha y página
siguiente, izquierda, superior e inferior), el periódico
añadía: «Se lleva con sandalias atadas al tobillo,
cabello a la altura de los hombros y un triángulo
esmaltado Art Déco sujeto a una boina», mientras
que las «medias llevan una línea por el lateral similar
a las que se llevan con los trajes de noche».

Vogue también elogiaba «un nuevo impacto, una línea
de hombros anchos, luego estrecha, con cinturones de
Dior. Con el impacto adicional del blanco y negro,
con un toque de color», representado por el abrigo
blanco con un fajín de cuero negro de Bohan (página
siguiente, izquierda inferior) en sus páginas ese año.

Para el otoño, el diseñador ofrecía trajes con hombros
cuadrados y estampados en forma de diamante sobre
las faldas para el día (como la chaqueta de terciopelo
rematada en satén y el vestido de faya, página
siguiente, inferior derecha) y los vestidos de satén
para la noche en intensos amarillos, verdes y naranjas
(página siguiente, superior derecha).

Caprichos del clasicismo
vs. el barroco

Marc Bohan tituló su colección de primavera/verano (derecha) «Retorno al clasicismo», concentrándose en una silueta austera con hombros definidos, cinturas flexibles con cinturones y bajos a la altura de la rodilla. «Mi *look* es el de la suavidad y la pulcritud. Utilizo gran cantidad de azules, desde un marino claro hasta un rico azul verdoso, así como muchos negros y todos los blancos», explicó Bohan a *Vogue*. Evitando los estampados, el diseñador declaró: «Prefiero las rayas y las utilizo profusamente, en especial las rayas anchas en dos colores».

«Su mejor diseño era una chaqueta cruzada baja que funcionaba igual de bien con una boina náutica para el día y con una blusa bordada y una falda larga para la noche», opinaba *The New York Times*. «Sus trajes de primavera de alta costura se presentan en tela de gabardina, de franela y linos», informaba *Vogue*, mientras que «muchos vestidos cortos de crepé para la noche tienen escotes asimétricos».

Para el otoño/invierno (página siguiente), Bohan se inspiró en «caprichos barrocos y *chinoiserie* prerrafaelita», rezaban las notas sobre la colección. Como un reflejo de los impresionantes fajines de su colección de primavera/verano del año anterior (*véanse* páginas 188-189), el diseñador creó «vestidos de noche sinuosos y flexibles cortados al bies y plisados "à la Fortuny", decorados con incrustaciones, tul o encaje», destacaba la casa.

«Easy, Flowing Styles»
(«Estilos desenfadados
y fluidos»)

Para su colección de alta costura de primavera /
verano (derecha), Marc Bohan «se ciñó a los
estilos desenfadados y fluidos que eran de lo más
contemporáneo», proclamaba *The New York Times*.
La colección, presentada en el Hotel de Crillon (hubo
que trasladarla de los tradicionales salones de la
avenue Montaigne debido al número esperado
de invitados), la colección incluía «el traje básico
[con] pantalones más bien amplios a la altura de
los tobillos, algunos con el bajo vuelto», mientras
que «los vestidos desarrollaban el tema del cordón
ajustable con el que Bohan lleva trabajando
durante años».

«Los cordones ajustables aparecen en la cintura
y a unos cuantos centímetros del bajo» y «los vestidos
a menudo presentan mangas cortas de globo y
diseños alegres como los lunares rojos», añadía el
periódico. «Bohan ha creado estilos que no solo
ratifican el honor de la costura, sino que pueden
llevarse también con toda comodidad».

Para de otoño / invierno, el diseñador ofrece trajes
de cuadros con faldas amplias a la altura del tobillo,
complementadas con pañuelos. «Las prendas más
sueltas se ceñían a la cintura con cinturones de estilo
corsé», mientras que «por la noche, el negro con
dorado constituía el tema más destacado, con unos
maravillosos efectos en lamé dorado, brocado en oro
y terciopelo negro» (página siguiente), informaba
The New York Times.

Patrones gráficos
y Aubrey Beardsley

La colección de primavera para Dior de Marc Bohan
(derecha y página siguiente, izquierda) se centraba en
los colores intensos y los destacados patrones gráficos,
desde las rayas hasta los lunares. La silueta era
relajada y etérea, y jugaba con las transparencias.
Vogue informaba sobre «los convincentes diseños
gráficos, en blanco y negro», y la actriz Isabella
Rossellini vestida de Dior con el «inesperado "pijama"
Pierrot... y el vestido de crepé de satén de seda en
paneles, sobre unos pantalones estrechos... una gran
mezcla de lunares», en su informe sobre la alta costura
de primavera.

La colección de otoño / invierno de Bohan (página
siguiente, derecha) rendía homenaje a «Aubrey
Beardsley y sus escandalosos dibujos a finales
de la época victoriana», escribía *The New York Times*.
«Turbantes y tocados de plumas, bombachos de encaje
y escotes corazón son solo una parte de la parafernalia
recuperada del siglo XIX».

Vestidos trampantojo
y sinuosos

La temática para la colección de alta costura
de primavera / verano de Dior (derecha) era el
trampantojo. Había cinturones y solapas trampantojo
en los trajes «triangulares» (con amplios hombros y
cinturas ceñidas), con sombreros marineros y boinas
en dos tonalidades como accesorios. Los motivos
trampantojo también se estampaban en los vestidos.
Las prendas de noche incluían vestidos *cocoon* en
gazar. La colección fue muy elogiada y permitió a
Marc Bohan ganar su primer premio Golden Thimble.

«Moderno, sofisticado, sinuoso, flexible, sexi», así es
como las anotaciones sobre la colección presentaban
los diseños de Bohan para otoño / invierno (página
siguiente). Los hombros se ampliaban, la cintura era
más baja, y los trajes rozaban el límite «masculino-
femenino». Para la noche, contaba con «vestidos
pañuelo», «vestidos militares», «vestidos kilt» y vestidos
«sinuosos» con largas faldas «sirena».

Klimt *vs.* Pollock

Elogiado por *Women's Wear Daily* como «una colección
hermosamente confeccionada, favorecedora y
femenina», la presentación de la alta costura de
primavera / verano de Marc Bohan (derecha) se
centraba en una silueta alargada, «construida en
flexible gabardina o trajes de lana, o vestidos de
seda con cinturón» con «chaquetas largas y amplias».
No obstante, las creaciones más asombrosas del
diseñador eran una serie de prendas decoradas
con «bordados Klimt» (muchos años antes de los
propios diseños inspirados en Klimt de Galliano;
véase página 456), «largas túnicas, camisolas, chaquetas
o vestidos, totalmente bordados en oro sobre blanco,
blanco sobre blanco, o en intensos tonos de violeta,
fucsia, azul turquesa y amarillo», rezaban las notas
sobre la colección.

Para el otoño / invierno (página siguiente), Bohan
colocó su colección «bajo el signo de los opuestos»,
explicaban las notas de la colección. Había «vestidos
ajustados y abrigos y chaquetas sobredimensionados,
tweed y diamantes, colores intensos sobre un fondo
negro». Después de Gustav Klimt la temporada
anterior, Bohan se inspiró en el trabajo del pintor
expresionista abstracto Jackson Pollock para crear
luminosos motivos de «goteo» bordados y estampados,
que adornaban las cortas chaquetas estilo bolero para
la noche y los vestidos entallados largos hasta los pies
(en ocasiones combinados con accesorios como joyas
«Pollock» en azabache y piedras multicolores).

Vestidos zigzag
y trajes cuidados

«Hombros amplios, cintura fina, piernas largas» reza el título de las notas para la colección de estos diseños de alta costura para la primavera/verano (derecha). Décadas después de la línea «Zigzag» original de Dior (*véase* página 30), incluía vestidos de noche «asimétricos "zigzag", así como vestidos entallados drapeados o bordados en "laca roja" con cinturones "obi"», explicaba la casa.

Para esta colección de alta costura de otoño/invierno (página siguiente), Marc Bohan produjo unos trajes muy cuidados con cinturas muy ceñidas que recordaban el espíritu de la chaqueta «Bar» original de 1947, con joyería «con temas inspirados en las constelaciones» a modo de accesorio.

Women's Wear Daily destacaba la sensación «joven de espíritu» de «su colección pícara, elegante, para Dior». «Las caderas se envuelven para llamar la atención, se muestra la rodilla», informaba la revista. «La nueva silueta, siempre cortada con intención de coqueteo, define el pecho con cuerpos tipo *bustier*, a veces aplicados sobre sencillos vestidos de cuello alto».

Cinturas peplum

Marc Bohan se concentró en los contrastes blanco
y negro en su colección de alta costura de primavera /
verano (derecha), que *Women's Wear Daily* describió
como «incansablemente sobria con una simplicidad
que les daba la elegancia asexuada de los uniformes
del Concorde». Sin estar recargados en exceso, declaró
el diseñador.

Pero aunque los colores eran bastante simples, las
formas eran particularmente marcadas. «Una nueva
y suave cintura con peplum —en un traje de Dior—
captó la atención de *Vogue*. «La cintura proporciona
una figura de lo más animada, recortada y curvada
con los redingotes recogidos y las chaquetas con
peplum que ha adaptado de su colección del otoño
pasado (*véase* página 201), o subrayada con grandes
cinturones de charol negro, el accesorio principal»,
informaba *Women's Wear Daily*.

Para el otoño / invierno (página siguiente), Bohan
produjo una colección que «se atrevió a adentrarse en
el nuevo modo excéntrico», declaraba *Women's Wear
Daily*. Contenía joyas extravagantes (desde pendientes
«flecha» hasta broches Dior con forma de corazón) y
espectaculares figuras peplum trasladadas desde su
colección de alta costura anterior.

Women's Wear Daily también destacaba «unos bolsillos
que acentúan la cadera y faldas cortas y rectas;
brillo para el día, con el vestido de punto moteado
en metálico; ... bolsillos burlescos rematados con
plumas de gallo en los trajes y extremados vestidos
de noche con holgadas faldas de tafetán abiertas
sobre faldas cortas, rectas y adornadas con cuentas».

El *New Look* cumple 40

Para el cuadragésimo aniversario de la creación de
la casa y titulado «Dior Toujours» («Siempre Dior»), la
colección de primavera/verano 1987 de Marc Bohan
(derecha) retrabajó la famosa hechura de Dior con
«hombros redondeados, hombros cuadrados [y]
cinturones de charol» para el día, rezaban las notas
para la colección. Para la noche, el diseñador
presentó una serie de vestidos cortos con volantes
«Belle Époque» decorados con tafetán o gazar, además
de unos majestuosos vestidos «corola» y «abanico».

La temporada siguiente (página siguiente), la línea
esencial del diseñador se describía en las notas sobre
la colección como «hombros redondeados, cintura alta,
faldas cortas». Contenía vestidos abrigo de cintura
alta cortados en telas tradicionalmente «masculinas»,
escotes cuadrados, ribetes de pieles y vestidos
amplios «cancán».

«Era un homenaje al *New Look*... con el mismo uso
extravagante de las telas en grandes abrigos
de corte amplio que ondulaban sobre la nueva falda
corta, corta», informaba *The Times*. «Para enfatizar
los coquetos nuevos bajos, Marc Bohan los rodea con
visón y chinchilla, o los rigidiza con alambre para
destacar como una campana».

Microsombreros
y baile de máscaras

La colección de alta costura de primavera / verano
de Marc Bohan (derecha) presentó «uno de los
mejores trajes que se pueden comprar con dinero»,
declaraba *Women's Wear Daily*. Los conjuntos para
el día incluían «trajes, vestidos y redingotes con
cinturas *corselet*», explicaba la casa, así como blusas
«"de lencería" y vestidos con cuerpos corsé, ribeteados
con volantes de muselina estampada o con lunares».
Para la noche, presentaba vestidos cortos «con escotes
de hombros descubiertos» con «mangas tres cuartos»
y «vestidos pañuelo» en gasa fruncida con estampado
cebra o envoltura tipo *sarong* drapeado con un escote
asimétrico terminado en pañuelo».

La colección de otoño / invierno de Bohan (página
siguiente), que recibió el premio Golden Thimble a
la mejor colección de alta costura de esa temporada,
era a la vez lujosa (con brocados dorados, ribetes
de pieles y ricos bordados) y extravagante (con
espectaculares volúmenes en forma de pluma y una
temática de baile de máscaras incluyendo antifaces
de terciopelo negro tanto reales como bordados sobre
las cortas chaquetas de noche).

«The Indian Year»
(«El año de la India»)

Bautizada «The Indian Year», la última colección
de alta costura de Marc Bohan para Dior eligió
los colores, el espíritu y el vestido tradicional
de India como inspiración (como también lo haría
Gianfranco Ferré para su última colección de alta
costura para la casa; *véase* página 254).

Al mezclar tonalidades de rosa, amarillo y naranja,
emblemáticos de los vestidos indios, junto con
los motivos florales preferidos de Christian Dior
(bordados o estampados), Bohan propone «líneas
Pirámide y Sari», con largos saris en gazar o chifón
de seda para la noche y abrigos «pirámide» en
ante pastel para el día.

No se olvidó de los trajes; sin embargo, estos
presentaban «chaquetas cortas o largas y acampanadas
[con] hombros estrechos, cuellos camiseros» y
«chaquetas amplias en ante bordado con temática
"florero" y "jardinera" [combinadas] con faldas
pantalón cortas o largas y plisadas en chifón de seda».

«Las damas de la alta costura se dirigieron
rápidamente a Dior el día después de la presentación
a por los distinguidos trajes y los irresistibles chifones
de Marc Bohan, según informó *Women's Wear Daily*.

Gianfranco Ferré

Codificar a Dior

El nombramiento de Gianfranco Ferré para Christian Dior en mayo de 1989 fue todo un acontecimiento. Para empezar, fue un golpe maestro: Ferré era uno de los diseñadores más populares y aclamados de la época, y el primero en ser nombrado por Bernard Arnault, el mago francés de las finanzas, en su cuarentena, que había adquirido Dior como parte de una empresa al borde de la bancarrota de nombre Agache-Willot-Boussac en 1984, haciéndole recuperar una robusta salud financiera y devolviendo así a Dior al reconocimiento internacional. Pero había mucho más: en los 32 años de vida de la casa, Ferré apenas era el cuarto director artístico, por emplear una frase nunca pronunciada por Monsieur Dior (quien se refería a sí mismo como «modista»). Ferré también era el primero que no había conocido a Dior en persona; de hecho, tanto Yves Saint Laurent como Marc Bohan habían sido empleados por el mismo Dior.

Sin embargo, a pesar de su talento nacido en la industria del *prêt-à-porter* en Milán, más que en los enrarecidos estudios de la alta costura de París, quizá Ferré tenía más en común con Dior que cualquiera de sus predecesores. Su parecido físico era asombroso, salvo la adición de la barba en el caso de Ferré; Dior tenía 41 años cuando fundó su *maison*; Ferré, 45 cuando tomó las riendas; ambos estaban emocionalmente vinculados a sus madres: Dior revivió el apogeo de la Belle Époque de la suya, y Ferré volvía a dormir en casa de su madre, incluso durante su temporada de éxito en Dior. Y aunque la moda de Dior era menos radical que la de Saint Laurent, y más romántica que la de Bohan, en Ferré habría encontrado un equivalente estético ideal, que apreciaba el amor de Dior por la decoración, las siluetas estilizadas, el glamur y la adoración por una feminidad imperturbable. Ferré había experimentado con unos estilos similares bajo su propia marca en la década de 1980, produciendo grandes vestidos de noche y ropa de día voluptuosa con un toque de Dolce Vita de la década de 1950 que, en retrospectiva, mostraba un sello continuado. Resultó fácil pasar de Dolce Vita a Dior.

Sin embargo, a pesar de sus semejanzas estéticas, el nombramiento de Ferré para Dior fue el reconocimiento de un cambio en la industria de la moda: de la alta costura como una necesidad para las mujeres, si bien eran mujeres que podían permitirse gastar decenas de miles en un único conjunto, a la alta costura como una necesidad para el negocio. La alta costura se había convertido en una valiosa herramienta de marketing. A finales de la década de 1980, comenzaba a bullir un aire de cambio en Dior, una necesidad no solo de evolución, sino de revolución.

Con una formación original en Arquitectura en el Politecnico di Milano, Ferré fundó su propia empresa de *prêt-à-porter* en Milán en 1978, durante un período de auge de la moda italiana. Llamaba la atención con una moda femenina basada en una construcción compleja y una silueta espectacular −ambas características de Dior−, y así Ferré recibió el apodo de «arquitecto de la moda» (su título real, después de conseguir su grado en Arquitectura, era *Il Dottore Architetto*), y sus colecciones recuperaron las complejas estructuras y las proporciones fuera de escala que habían creado tanto impacto con el debut de Dior en 1947. Si Dior construía vestidos, también lo hizo Ferré.

Ferré tomó el *New Look* de Dior como eje durante su ejercicio de siete años, creando una silueta voluptuosa enfatizada por elementos desproporcionados: solapas, puños, cinturones muy ceñidos. Combinaba los cuadros pata de gallo con el encaje, insertaba flores en los escotes de los amplios vestidos de baile, y lanzó el bolso Lady Dior. Este estaba acolchado con un patrón *cannage* copiado de las sillas con respaldo de rejilla que Dior tenía en sus salones, del mismo modo que las flores, los vestidos de baile, la mezcla de encaje y lana y la fusión de lo masculino y lo femenino también estaban ingeniosamente inspirados en el pasado de Dior. Ferré fue el primero en emplear la historia de Dior como base, como piedra angular de su *New Look* para las décadas de 1980 y 1990. «No quiero vivir con un fantasma», declaró. «Pero respeto la tradición de la alta costura».

Lo que Ferré realizó en Dior no estaba limitado a la vestimenta. En esencia, su cometido no era reinventar a Dior, sino revivirlo, establecer unos códigos de la casa que representaran a Dior en una nueva era, unos códigos que pudieran trasladarse desde las alturas de la alta costura, a través del *prêt-à-porter*, los perfumes, los accesorios y la belleza. No un *New Look*, sino una nueva identidad, utilizando los elementos del pasado para crear el futuro.

Alexander Fury

«Ascot — Cecil Beaton»

Creada para evocar la «libertad de un encanto
masculino-femenino», «Ascot — Cecil Beaton» fue la
primera colección de alta costura de Gianfranco Ferré
para Dior.

Inspirada en el estilo de la alta sociedad eduardiana
de los trajes que Cecil Beaton creó para la película de
1964 *My Fair Lady* (dirigida por George Cukor), la
colección rendía un particular homenaje a la escena
central de la película, ambientada en Royal Ascot,
en la que los hombres con fracs grises elegantemente
cortados y sombreros de copa a juego se codean con
las mujeres en largos vestidos blancos de encaje
adornados con lazos y cintas negras para observar
las carreras de caballos.

Para el día, Ferré decidió contrastar «dos austeros
tejidos masculinos —*tweed*, *barathea*, franela, cuadros
Príncipe de Gales— con blusas blancas exquisitamente
femeninas en seda, *voile* y organza» y jugar con «el
fluido encanto de las mangas kimono», todos ellos
en una gama de grises, blancos, negros y beis.

Para la noche, el diseñador presentó abundantes
vestidos largos hasta los pies en faya de seda, satén
duchesse, tafetán y organza brillante, bordados con
perlas y gemas entrelazadas, moteados con oro y
plata, o adornados con cascadas de flores, rosas,
lirios de los valles, flores silvestres y hiedra, ya sea
prendidas, estampadas o bordadas.

Todo un debut triunfal para Gianfranco Ferré en Dior,
ya que la colección recibió el prestigioso premio
Golden Thimble ese mismo año.

«A Midsummer Nights» Dream»
(«Sueño de una noche de verano»)

La segunda colección de alta costura de Gianfranco
Ferré para Dior fue «todo ligereza», según afirmaban
las notas sobre la colección. Dividida en cinco actos
(«Suddenly, Last Summer», «Parades, Cities and Parks»,
«Flowers in the Garden», «Gems, Dreams and
Mysteries» y, finalmente, «Nights, Places and Palaces»
[«De repente, el último verano», «Desfiles, ciudades
y parques», «Flores en el jardín», «Gemas, sueños y
misterios», «Noches, plazas y palacios»]) y titulada
como la comedia de William Shakespeare, la colección
tenía la intención de evocar «el inicio del atardecer
en verano».

«Una brisa acaricia la organza, brillante y ligera
como una pluma. El verano está aquí, resplandeciente
y colorido en malva, lila, verde oscuro, ocre, gris,
blanco, amarillo azafrán», indican las notas sobre la
colección. «El exquisito lustre de la paja en el satén de
seda. Unos tejidos como nunca antes... capas de encaje,
bordados, efectos de transparencias y trampantojo.
Y todos tan ligeros como el aire del verano».

Tenía «también un atisbo de ingenio y humor en
el contraste de los opuestos como un impermeable
de organza atado a la cintura con un gran lazo
y combinado con un enorme sombrero de paja»
(página siguiente, inferior derecha).

El diseñador «continúa ligado a su idea sobre las
prendas que se mueven con el cuerpo», declaraba
la casa. «Prefiere las formas que estilizan la figura con
pantalones o faldas muy rectas, chaquetas con mangas
globo o cinturas ceñidas con lazos en tul reversible».

Los sombreros son muy vistosos, con «capelines
(sombreros de ala ancha) que ocultan suavemente
el rostro», y «sus encajes, lilas, piqués, *shantungs*, sus
sedas rayadas, tafetanes y efectos drapeados que
constantemente realzan cualquier movimiento de
la mujer, mientras que las capas de tela aportan
volumen y se preparan para los sueños en una noche
de verano».

«Fables and Tales on a Winter's Night» («Fábulas y cuentos de una noche de invierno»)

Después de su shakespeariano «Sueño de una noche de verano» de la temporada anterior (*véase* página 216), Gianfranco Ferré bautizó su nueva presentación de alta costura para la casa como «Fábulas y cuentos de una noche de invierno».

En ella «captó las noches estrelladas de Oriente y toda la magia de sus mitos y fábulas con azules profundos, violetas, índigos y tonos de rosa en sus lunas de color rosa pálido y sus estrellas plateadas», indicaban las notas sobre la colección.

«Las noches imperiales en un sueño inacabable de tafetán, tejido otomán, terciopelo, seda y satén *duchesse*. Fusionó los rosas oscuros (magenta, rosa de té y rosa de India) o viró hacia los rojos, púrpuras y dorados brillantes como las tonalidades preciosas del granate. Colores que refuerzan el atractivo trampantojo de frutas y flores, un estampado de alfombra que recuerda el misterioso Oriente, o resplandecientes broches bordados con hilos de plata. Los suntuosos bordados de oro y rubí brillan con mil y un destellos en la solapa de una chaqueta».

«El espíritu de la colección es completamente suave, con muchos drapeados al estilo de Dior: drapeados de alta costura», declaró Ferré a *Women's Wear Daily*. «La silueta se acerca al cuerpo, pero no lo constriñe, sino que flota». «Hay un toque de Tiepolo», añadía el diseñador. «Todo tiene su principio en la idea de acortar la cara con telas parecidas a los turbantes, pero más naturales que los turbantes».

«Rendez-Vous d'Amour» («Encuentro amoroso»)

Gianfranco Ferré adoptó un espíritu ligero y romántico para esta colección, bautizada «Rendez-Vous d'Amour», y lo dividió en cinco actos con títulos evocadores: «Love Letter», «Fondest Memory», «Spring is here!», «High Summer» y «Sleepless Nights» («Carta de amor», «Recuerdos afectuosos», «¡Ha llegado la primavera!», «Pleno verano» y «Noches de insomnio»).

«Mañana es primavera, cuando los nuevos y frescos colores estallan y forman ramos deslumbrantes», rezan las notas de la colección. «Tonalidades de ensueño en rosa fucsia, coral, naranja y el azul más suave; el azul pálido de un cielo primaveral, el azul profundo de una noche de verano».

«Bajo las pérgolas, las mujeres giran y se mueven con sus vestidos asimétricos. La silueta es pura y esencial. Los tejidos son opulentos y flexibles, con contrastes entre las telas mates y brillantes, transformadas en vestidos abrigo de seda salvaje, trajes de gabardina y abrigos de gazar blanco».

Con la intención de ilustrar «la opulencia más ligera», Ferré buscaba «actualizar los grandes clásicos de Dior, como aquellos enormes lazos de organza (páginas siguientes) o una celebración ingeniosa de la pata de gallo, el tartán escocés, las plumas... Blanco, negro, pero también amplias rayas rosas», afirmaba la casa.

«Quiero iluminar la fantasía», dijo el diseñador a *Vogue*. «Siempre pienso en una mujer que se mueve con o contra la brisa. Hay una sensación etérea entre los pliegues de una tela, o en las estolas, o las colas, incluso en un traje de baile largo».

«Estoy loco por los lazos y los grandes sombreros», añadió Ferré, «porque aportan efecto, equilibrio y un detalle fresco. Un sombrero es un flirteo, un disfraz que enmarca la cara y bajo el cual aparece o desaparece. Las mujeres aman estos accesorios espectaculares».

«Autumn Splendour»
(«Soles de otoño»)

Bautizada como «Soleils d'automne» en francés, esta colección de alta costura se desplegaba en tonos de rojo, oro, negro y beis, reflejados en tejidos convenientemente lujosos y con un énfasis en los drapeados, mantones, estolas y plisados.

«Es uno de esos días templados de otoño en los que la tibia luz del sol se filtra a través de las últimas hojas de los árboles», rezan las notas sobre la colección. Esta temporada, la mujer Dior «viste un traje geométrico suave, con un mantón sobre los hombros como accesorio... Su silueta se mueve con gracia vistiendo la ligera, elegante y etérea línea de un traje de *chenille* de moiré de seda o un abrigo de cachemira».

«Otro día, viste un traje de lana sal y pimienta. Gradualmente, despliega lo que ha estado ocultando, jugando con los materiales –pelo de camello, tafetán, seda, pieles, damasco, cachemira, crepé de seda, *tweed* o pata de gallo, y divirtiéndose con las lentejuelas de imitación carey, seda guateada con símil de cocodrilo e incluso una falda de pitón o lagartija. Le encantan los tonos arena, pero en esta ocasión va a pasear vestida de rojos y rosas tan intensos y brillantes como laca china».

Finalmente, «al caer la noche, con el olor de las fragancias de las celebraciones nocturnas, se envuelve en oro para bailar bajo los espléndidos estucos de los antiguos palacios», con creaciones tan glamurosas como el brillante vestido de noche plateado presentado por Karen Mulder al final de la colección (páginas siguientes, inferior izquierda).

«In Balmy Summer Breezes» («En las cálidas brisas veraniegas»)

Gianfranco Ferré nos conduce a los jardines que tanto amaba Christian Dior con su colección inspirada en la naturaleza.

«En las espléndidas mañanas veraniegas, cuando el calor comienza a imponerse en los parques y jardines inundados de sol, cubiertos suavemente con una atmósfera brumosa y sensual, es el momento de dar un paseo tranquilo, realizar encuentros casuales y fiestas a media noche, un momento en el que la luz, las siluetas vaporosas, crujen sobre los senderos, y la organza de seda, el tafetán y el gazar ondean con la cálida brisa veraniega», rezan las notas sobre la colección.

«Las flores brillantes como el sol, toques de encaje, paja amarillo sol, verdes hierba y azules cielo» aportan a la colección sus intensos colores e inspirados y asombrosos sombreros de ala ancha en paja para los jardineros de la alta costura.

El jardín de Ferré también contaba con «elegantes mujeres vestidas en amplias camisas bordadas en gazar con estampado de flores, trajes de cuadros Vichy gigantes, brillantes tartanes, contraste de rayas y pata de gallo, faldas con corsés en tul y rejilla blanca bordada, trajes pantalón en espiguilla de seda, largos vestidos en rejilla con volantes de tul y cintas de satén y chaquetas de tafetán en color amarillo sol».

Antes de cerrar con los espectaculares vestidos florales de noche, el diseñador se detuvo «bajo la pérgola» con unos vestidos trampantojo de seda bordados por Lesage para evocar «las columnas relucientes cubiertas con hojas de acanto» (página 233, inferior derecha).

«In the Secret of a Venetian Winter» («En el secreto de un invierno veneciano»)

Gianfranco Ferré buscó inspiración para su colección de alta costura en su Italia nativa. Con un dominio de los tonos rojos, dorados y grises, reflejaba no solo los colores distintivos de la ciudad, sino también su esplendor en el siglo XVIII.

Esta temporada, la mujer Dior «adora llevar estos vestidos gris carbón a media pierna que ilumina con un bolero de zorro plateado; de hecho, simplemente adora todos los grises: los grises de la niebla que retrasan los vuelos, el gris elefante o el gris mármol de los palacios venecianos, las suaves sombras grises sobre Venecia... Las sombras grises iluminadas por el fuego y las llamas de los rojos de tonalidades sobrepuestas», proclamaban las notas de la colección.

«Le gusta llevar un abrigo negro, gris o blanco, o un traje realzado con un toque de rojo gracias a un sombrero, una blusa o incluso una flor, aunque esto no le basta: también siente que necesita los colores minerales que centellean como piedras preciosas: un abrigo de doble cara rojo rubí y amatista, un mantón bordado de satén color rubí, un vestido trampantojo con efectos de sobrehilado en lapislázuli».

«Viste trajes de lana en color gris perla con puños de chinchilla beis o un abrigo de lana otomana roja con cuero rojo pespunteado y ribeteado en oro. Y simplemente adora los detalles espectaculares, como los grandes cuellos abrigo, elaborados puños de cuero negro, o los collares de terciopelo... Sueña con las alegorías de las galas venecianas del siglo XVIII: la belleza de las tonalidades ambarinas del mármol, el oro apagado de los frescos».

«Summer Impressions» («Impresiones de verano»)

Después de su colección de alta costura de otoño /
invierno, inspirada en Venecia y dedicada a los rojos
y dorados de La Serenissima (*véase* página 234),
Gianfranco Ferré permaneció en el siglo XVIII
admirando el trabajo del pintor francés del Rococó
Jean-Honoré Fragonard y del escultor italiano
neoclásico Antonio Canova, famoso por sus
esculturas en mármol blanco (el color que adquirió
un protagonismo central en su colección).

Al preparar el terreno para un amanecer veraniego
en el que «las alargadas y estilizadas siluetas
comienzan a aparecer en una blancura casi diáfana:
un aura sublime de blanco que se entremezcla con
los sueños neoclásicos, habitados por Antonio Canova
y Fragonard», las notas de la colección describen
«una impresión de ligereza, fluidez, libertad: todas
esas impresiones impalpables del verano».

«En los plisados nacarados, las mangas de globo,
los bajos con vuelo, estas apariciones femeninas se
deslizan con gracia siguiendo el movimiento de sus
vestiduras suaves, amplias, ligeras como el aire. Un
viento caprichoso sopla a través de las grandes nubes
de tafetán de seda: todas las delicias de la organza
transparente, al llevarla tan cerca de la piel... La
redescubierta alegría de los largos efectos drapeados,
de los trajes plisados o quizá los vestidos camiseros
escotados. Después, la suave intoxicación del macramé
negro transparente y el encaje marrón paja esculpido
como un atuendo primitivo».

«Images in a Mirror» («Imágenes en un espejo»)

Dedicada a los esplendores del Renacimiento, esta colección de alta costura de Gianfranco Ferré celebra lo esencialmente «extraordinario» de la alta costura.

«La alta costura no es una respuesta a la vestimenta diaria, sino el eco de nuestros sueños y nuestra intuición, de nuestras visiones fuera de lo cotidiano», escribía Ferré a modo de introducción para la colección. «Es una manera de descubrir nuevas sensaciones, nuevos sentimientos que se entremezclan con las formas novedosas y sensualmente intensas».

«Para esta colección de otoño-invierno 1993-1994, quería algo más definido, más flexible y con una fascinación más libre y vibrante... [redescubrir] la asombrosa alquimia cromática de Tiziano, la profundidad e intensidad de sus rojos, sus púrpuras, dorados y azules oscuros. Las deliciosas tonalidades de Veronese, que se disuelven voluptuosamente en la preciosa y coloreada saturación de sus marrones, rojos y verdes inimitables».

«Podemos sentir una pasión oculta bajo estas tonalidades de brocados pintados o tradicionalmente tejidos a mano: maravillosos como una cascada dorada de seda arrugada, cachemires impresos, adornados con ante y espiguilla incrustada... Vestidos largos cuyas líneas verticales ondean como banderas con la brisa».

«Summer Paradox»
(«Paradoja de verano»)

Gianfranco Ferré convocó al espíritu de la
«excentricidad francesa» para esta colección,
y en particular, el estilo de las «Merveilleuses»
(«Maravillosas») (con preferencia por las reveladoras
y ligeras túnicas blancas inspiradas en las Antiguas
Grecia y Roma) y los «Incroyables» («Increíbles») en
las postrimerías de la Revolución Francesa a finales
del siglo XVIII (que también, casualmente, sería
una de las referencias principales de John Galliano).
Ferré también se inspiró en la ciudad de Nápoles
y todos sus tesoros.

«Un cielo de intenso color azul (tonos fuertes
combinados con la suavidad de la paja), flores ocultas,
enaguas florales», indicaban las notas sobre la
colección. La silueta era muy femenina, con «corpiños
redondeados, faldas con vuelo, mangas de globo».
También contaba con efectos trampantojo con
«faldas planas al frente con espaldas exageradas,
y chaquetas cortas al frente y largas por la espalda».

La gama cromática del diseñador era discreta
y delicada con tonalidades coral, rosa, amarillo,
turquesa, porcelana y azul Wedgwood, con estampados
de cachemira, con unos tejidos lo más ligeros posible
y que iban desde el cachemir y el chifón hasta la
rafia, el lino, la seda salvaje, el Jacquard de seda
y el toalla.

«Winter in an Extraordinary Forest» («Invierno en un bosque extraordinario»)

La ambientación para esta colección buscaba evocar «visiones de un sueño fantasmagórico de naturaleza mágica, metamorfoseado por la alquimia y la pasión», según las notas de la colección.

«Unos toques inesperados de color, casi invisibles al ojo humano, rompen el equilibrio natural. La memoria de insectos imaginarios, hojas encantadas y animales fabulosos reinventan a la Mujer-Misterio», según declaraciones de la casa.

La silueta, «tan borrosa como una aparición invernal», se caracterizaba por «cortes redondeados para una línea fluida, redondeada» y una «nueva amplitud para los hombros y el busto, enfatizado por una cintura más definida y curvilínea».

Los efectos florales se obtenían por medio de «laca triturada», mientras que «los encajes más suaves del mundo se convertían en alfombras mágicas de hojas», y entre los accesorios se incluían «joyería con forma de corteza o de brillantes libélulas» para un toque silvano en línea con la temática de la colección.

«Extreme»
(«Extremo»)

Gianfranco Ferré se inspiró en el arte del siglo XX
para esta colección, más específicamente, en el estilo
de Nicolas de Stael, Andy Warhol y Jackson Pollock
en un «viaje al color irracional».

Como indican las notas sobre la colección, el
diseñador se dedicó a crear «un palimpsesto de
épocas diferentes, primorosas capas de muchos
siglos e influencias. La alta costura sienta mal
a la conformidad y se divierte con la tradición».

En general, la silueta flirtea con «el *look* de la década
de 1950». «La organza redondea las caderas, creando
una figura extremadamente torneada que juega con
la feminidad. El busto queda a la vista, mientras
que los hombros son estrechos, pero bien construidos.
La cintura siempre está definida, a menudo
constreñida, y en ocasiones incluso estrangulada».

La organza era el tejido estrella de la colección,
acompañada por «da seda amarillo ámbar, el encaje
amarillo intenso, y tul en tonos ocres: el color
constituye el vínculo entre los materiales».

«Tribute to Paul Cézanne»
(«Homenaje a Paul Cézanne»)

Esta colección rendía homenaje al pintor Paul Cézanne,
antes de la retrospectiva sobre el trabajo del artista
que se presentaría en el Grand Palais de París.

«Christian Dior dedicó colecciones a Vermeer y
Watteau», declaró la casa. «El tributo a un gran pintor
es, por lo tanto, un tributo al mismo Christian Dior
y a su manera de encontrar inspiración».

«Gianfranco Ferré ofrece a Cézanne y a Dior un
espectáculo pirotécnico de gran creatividad, en
una sutil coreografía inspirada en los propios colores
y tonalidades de Cézanne. El movimiento ligero e
intensamente rítmico lleno de auténtico afecto hacia
el genio de la pintura moderna», rezan las notas
sobre la colección, que comparaban a Cézanne con
el «modista» de un «cliente exclusivo»: la montaña
de Sainte-Victoire en Aix-en-Provence.

«Para rendir homenaje a Cézanne, Dior ha tomado
prestadas las tonalidades mágicas del trabajo
del pintor. Las sombras iluminadas con toques de
luz; colores sombríos encendidos por una estrella
brillante, como un «pequeño rayo de sol sobre el
agua fría», de la gama cromática de sus primeros
años, con tonos de gris, negro y marrón, y reflejos
en rojo de *Tarde en Nápoles*, en cobalto como en
El jarrón azul, en el bermellón de *Cesto de manzanas*,
o el verde esmeralda de *Montaña Sainte-Victoire*.

La línea en sí combinaba «puños muy ajustados,
conservando la sencillez y la comodidad, con una
elegancia fascinante... una armonía sutil de hombros
redondeados y caderas sinuosas que enfatizan
y realzan la feminidad sin ponerle trabas».

«In Christian Dior's Garden» («En el jardín de Christian Dior»)

Gianfranco Ferré se inspiró en una de las grandes pasiones del fundador de la casa para crear esta colección.

Incluso citó a Monsieur Dior en el encabezado de las notas sobre la colección: «Diseño ropa para mujeres flor, con hombros suaves, bustos florecientes, cinturas esbeltas y ligeras y faldas amplias como corolas... Las flores, después de las mujeres, son el mejor regalo que Dios ha dado al mundo», había escrito el modista.

Con esta colección, Ferré quiso evocar «todo el misterio de las mujeres flor. Los botones de la primavera apenas comenzaban a abrirse. Un atisbo de rosa, vainilla, almendra sobre el rocío de la mañana. Los encajes ocultos bajo unos trajes de aspecto juvenil. Vistosas enaguas que convierten las intensas luces veraniegas de los suntuosos vestidos de verano en cielos tormentosos».

Eran dos las siluetas principales: «una de ellas estiliza el cuerpo subrayando el busto, ciñendo la cintura, redondeando los hombros y dando forma a las caderas. La otra es turbulenta, romántica, con enaguas, y juega con largas colas, organza plisada y encajes bordados», declaraba la casa.

«Las pinzas, los ribeteados, los hilvanados y los cortes al bies servían para realzar el volumen de las faldas», mientras reinaba la seda natural «en todas sus formas: *shantung*, tafetán, organdí, organza, chifón, faya, satén y sarga».

Los colores eran el elemento central de esta colección, y cada uno de ellos se presentaba en las notas de la colección con citas elegidas del *Pequeño diccionario de la moda de Christian Dior*. El gris era «el color neutro más práctico, útil y elegante», mientras que el blanco «es el color más hermoso que existe para la noche», aunque el rosa y sus numerosas tonalidades dominaban en la colección: «el color más suave de todos», según Christian Dior. «Toda mujer debería tener algo rosa en su guardarropa. Es el color de la felicidad y la feminidad».

«Indian Passion»
(«Pasión india»)

La última colección de alta costura de Gianfranco
Ferré estaba inspirada en los tesoros y colores
de la India, a los que el diseñador realizó muchos
y prolongados viajes en la década de 1970.

Descrita por la casa como «una odisea de colores»,
miraba tanto a Occidente, «donde se destacan los
diseños geométricos clásicos en blanco y negro,
tradicionales de Christian Dior... acentuados con
sutiles toques de estampado animal», como «a una
pasión contemporánea por un Oriente imaginario»,
con un estallido de brillante satén... chaquetas de
cachemir guateado y sobrehilado, tafetán o seda.

Los colores dominantes para la colección eran un
reflejo de su tema central, con «destellos de luces
de bengala, rescoldos encendidos, rojos púrpuras o
violetas» y, por supuesto, varias tonalidades de rosa
(famoso por ser descrito por Diana Vreeland como
«el azul marino de la India»), así como tonalidades
cobrizas y beis «¡con un poco de oro y ámbar para
realzar cualquier gesto y completar este suntuoso
arcoíris, compuesto solo por las tonalidades
más cálidas».

La silueta era «suave y recta». «Los vestidos tienen
un aspecto regio, de estilo túnica, son modestos y
fluidos. Para el día dominan los cortes cartesianos
estrictos y simples y la eterna elegancia de los tejidos
masculinos... Para la noche, los vestidos son más
largos y voluminosos. El vestido para las cenas
o el traje de gala, el vestido entallado o la crinolina
de seda, chifón u organza, elevan el vuelo en un
remolino sensual de encajes bordados con arabescos,
lentejuelas y perlas. Nada es demasiado suntuoso
para ellos».

John Galliano

La revolución, de forma diferente

¿Cómo destacar el quincuagésimo aniversario del revolucionario *New Look* de Christian Dior? Con otra revolución. En 1996, el diseñador británico John Galliano, hijo de un fontanero, nacido en Gibraltar en 1960 pero criado en Londres, se convirtió en director creativo de la estimada y augusta casa de Christian Dior. Su primera creación fue para Diana, princesa de Gales, con motivo de una gala en el Museo Metropolitano de Arte de Nueva York, para inaugurar una exposición sobre el trabajo de Dior. Presentada en diciembre de 1996, esa exposición (y vestido) coincidieron, hasta en el mes, con el quincuagésimo aniversario de la fundación de la casa. La primera colección de alta costura de John Galliano, en enero de 1997, fue un hito histórico incluso antes de presentarse.

El ascenso de Galliano a Dior se ajustaba tan bien como uno de sus trajes de alta costura. Había estado enamorado del trabajo de Dior durante años, realizando exposiciones en París que rendían homenaje a las siluetas del maestro, sus técnicas y, sobre todo, la interiorización de la feminidad voluptuosa. Sus presentaciones, al mismo tiempo, eran un currículum vitae, un toque de atención a la eminente idoneidad de Galliano para que le fuera concedido uno de los mayores honores y principales responsabilidades en la moda. El mismo Galliano describió los cinco años precedentes como un ensayo para este papel. «Es la mayor casa del mundo», afirmó, visiblemente intimidado, en un documental británico rodado a finales de 1996. «Recibir las riendas de la casa es algo que nunca pensé que podría ocurrir. ¿Cómo podía decir que no?».

Y a su vez, ¿cómo podía decir no la casa Dior, viendo que el romanticismo de Galliano y su dominio del corte le hacían parecer la reencarnación contemporánea del fundador? La habilidad de Galliano quedó en evidencia desde su primera colección: la de su graduación de la Saint Martins School of Art, titulada «Les Incroyables» en honor a un grupo de dandis del siglo XVIII, causó sensación y lanzó su carrera a nivel internacional. Desde entonces, los diseños de Galliano han sido muy laureados, en particular después de su nombramiento para la casa de Givenchy (del magnate francés Bernard Arnault, al igual que Dior), que convirtió a Galliano en el primer diseñador inglés al frente de una casa de alta costura francesa desde la Segunda Guerra Mundial.

El debut de Galliano se esperaba con impaciencia y se analizó con suma meticulosidad. «La presentación de Míster Galliano fue motivo de orgullo para él mismo, para Monsieur Dior, cuyo nombre está en la puerta, y para el futuro del arte, que siempre esta en duda», escribió Amy Spindler en *The New York Times*, sobre esa presentación de alta costura de primavera / verano 1997. Pero era cierta sobre su ejercicio en un conjunto: la visión de Galliano para Dior era extensa, polifacética, compleja, mirando a la vez hacia el frente y hacia atrás. Volvió a Dior del revés y al revés, literalmente, en términos de unas colecciones que deconstruyeron las tradiciones de la alta costura de la casa, en busca para encontrar algo valiente y novedoso.

Galliano apostaba por algo mucho más allá del *New Look*. Estaba decidido a crear nuevos *looks* propios, nuevos distintivos para la casa de Dior en el siglo XXI. Sin embargo, a través de sus revoluciones constantes, siempre hubo respeto y reverencia por el pasado. Incluso una presentación dedicada al fetichismo sexual, estaba basada en las siluetas extraídas de los archivos de Dior, pero la creatividad de Galliano se alimentaba de una necesidad de no rehacer, sino reimaginar lo que Dior podía representar para las mujeres modernas.

El objetivo de Galliano en Dior, lo que consiguió con un éxito espectacular, era utilizar una plantilla histórica y no trabajar solo dentro de sus límites, sino redefinirlos. Estos límites no solo se referían al *New Look* identificable a simple vista, sino a todo lo que Dior representaba en sí mismo. A Galliano no le interesaban los fundamentos burgueses de la alta costura o de la casa Dior, y fue el primer director creativo desde Yves Saint Laurent al que le ocurría. Este enfoque dio como resultado una visión de Dior asombrosamente contemporánea, revitalizada, y devolvió la casa a la cúspide de la influencia sobre la industria de la moda y redefinió cómo, y hasta qué punto, un director creativo podía reinventar la imagen de una marca. La revitalización de Dior de manos de Galliano resultó ser un éxito creativo y comercial, un modelo que seguirían muchos otros.

Es probable que el paso de Galliano por Christian Dior quedara irrevocablemente mancillado por sus demonios personales: fue despedido en marzo de 2011, después de que, en estado de embriaguez, profiriera una serie de insultos racistas y antisemitas en un bar de París (desde entonces se ha rehabilitado). Pero su legado es indeleble. Creó una moda que sirvió no solo como testamento del perdurable genio de Christian Dior, sino como asombrosa demostración del suyo en particular.

Alexander Fury

Maasai Mitzah

Coincidiendo con el quincuagésimo aniversario de la casa, la primera colección de John Galliano para Dior se presentó en el Grand Hotel en París, donde se había construido una versión a mayor escala de los salones de alta costura originales de Dior, incluyendo su majestuosa escalinata, las sillas doradas y las cortinas en gris Dior.

«Quería apoyar a Monsieur Dior y a lo que le inspiraba», declaró Galliano a Colin McDowell. «Mitzah Bricard, las perlas, el perfume que llevaba su madre, toda la silueta Belle Époque de su madre con la que estaba obsesionado, y que comparó con la tribu de los masái; con estas dos figuras fantásticas: que son increíblemente parecidas, orgullosas, aristocráticas; ese fue mi punto de partida».

El detonante fue el descubrimiento de las famosas fotografías que Mirella Ricciardi tomó a la tribu africana, entretejiendo esa inspiración masái con la encorsetada silueta «S-line» y moldeando unos vestidos sirena captados por el pintor Giovanni Boldini en sus retratos de las bellezas eduardianas.

Se trataba de una revisión de la icónica línea «Bar» de Dior (*véase* página 24), «espectacularmente recortada y deliberadamente suavizada» en «telas dandi *masculin-féminin* como la pata de gallo o el Príncipe de Gales» o el cuero blanco bordado cortado para evocar el encaje, en creaciones como «Diorbella» (página 262, derecha) o «Gallidior» (página 262, izquierda).

Mitzah Bricard, la musa de Christian Dior, sirvió de inspiración tanto para un tono de lila que Galliano bautizó como «lila Mitzah», que utilizó en todos los forros de satén, y la presencia del felino estampado de leopardo (uno de los sellos distintivos de su estilo), que aparecía en los trajes de lencería… y tocados platillo pintados para darle un toque de humor atractivo y sofisticado a los peinados».

Los masái aportaron «sus ornamentos multicolor, petos, pequeños corsés con perlas, collares de plato y pulseras múltiples para iluminar su atractivo e infundirle un porte noble y orgulloso», mientras que «el exotismo asociado a los viajes… también está inspirado en el capricho europeo por el gusto chino y la *chinoiserie*».

La *chinoiserie*, un tema que pasaría a primer plano en la siguiente colección de Galliano para la casa (*véase* página 266), resultaba muy evidente en «Absinthe» (derecha), el vestido entallado en satén de color cartujo inspirado en los chales chinos bordados y con flecos, que adquirió fama mundial cuando Nicole Kidman lo vistió en la ceremonia de los Premios de la Academia de 1997 un par de semanas más tarde.

Las *pin-ups* de Dior

La primera colección *prêt-à-porter* de John Galliano para
Dior, que se presentó en el Musée Guimet (museo de
arte asiático en París), el mismo año que la soberanía
de Hong Kong pasó a China, «juega ligeramente con la
paradoja entre la historia y la modernidad, ayer y hoy,
este y oeste», declaraba la casa.

«Esa colección se inspiraba en las *pin-ups* chinas,
chicas de calendario del Shanghái de la década de 1930.
Había descubierto estos maravillosos anuncios para
cigarrillos, agua de colonia (perfume) y otros productos
de belleza en los que aparecían unas hermosas mujeres
que vestían unos *qipaos* muy ajustados. Resultaban
tan inspiradores», explicó Galliano a Andrew Bolton.
«El *qipao* ya es de por sí una prenda muy sensual, pero
quise reforzar su sensualidad aún más cortándolo al
bies, para exagerar el contorno del cuerpo de la mujer.
Su drapeado natural caía al nivel de las rodillas, lo
que amplifiqué en algunos de los *qipaos*. Las telas que
utilicé eran muy hermosas: brocados, sedas ligeras
con inserciones de encaje, y sedas más pesadas
tradicionalmente empleadas para confeccionar corbatas
y pañuelos masculinos».

La inspiración oriental se mezclaba con la estética
de las *pin-ups* de Hollywood: «la híperfeminidad de
Jayne Mansfield, la de Kim Novak... y la famosa
Brigitte Bardot francesa», con lo que conseguía un *look*
exótico con modelos que llevaban las uñas laqueadas
en rojo y mejillas con colorete a lo Diana Vreeland.

La revisión del «famoso lazo drapeado [de Christian
Dior] (*véase*, por ejemplo, página 78), que ahora
acompañaba a los vestidos muy cortos y atrevidos
con faldas globo» (como «Diorzhou», el vestido *bustier*
en azul Ming, página siguiente) e incorporaba cuellos
Mao, lazos al estilo obi y cinturones, así como túnicas
con aberturas y cortes kimono, lanzaba «la línea "L",
un corte innovador y habilidoso que produce drapeados
asimétricos en las faldas y vestidos entallados, a la vez
que mantiene una silueta fluida», como indican las
notas sobre la colección.

El desfile se abrió con el atractivo y ultracorto
traje «Marilyn» (una chaqueta «Bar» en lana tejida
a modo de tapicería rosa claro ribeteada con flecos
y combinada con un vestido a juego en crepé de lana
cortado al bies con cuello Mao adornado con perlas,
página siguiente), y se dividió en cinco partes:
«Dior's Little Sweetheart Pin-Ups» («Las pequeñas y
encantadoras *pin-ups* de Dior») («ingenuas, a menudo
en colores pastel, minifaldas, boleros de pieles»); «Dior's
haughty, smouldering and venomous Vamp Pin-Ups»
(«Las *pin-ups* de Dior, altivas, ardientes y venenosas
vampiresas») («majestuosas, aristocráticas, con una
inclinación por el esmoquin negro, tonalidades ciruela
y orquídeas»); «Dior's Imperial Pin-Ups» («Las *pin-ups*
imperiales de Dior») («parisinas, exóticas y coloridas»);
«Dior's bohemian Muse Pin-Ups» («Las *pin-ups* cual
musas bohemias de Dior») (entre ellos «Juliet», un
vestido de noche en crepé de color jade bordado con
amapolas, derecha); y, finalmente, «Dior's lacquered
Pin-Ups» («Las *pin-ups* laqueadas de Dior») («voluptuosas,
apasionadas: una estrella roja del kabuki que escapa
de sus costuras»).

Mata Hari en Bagatelle

Esta colección romántica, desvelada en un cálido
día de verano en los jardines de Bagatelle, se inspira
en la figura de Mata Hari. «No la espía inmersa en
intrigas y mentiras, sino la imagen sensual de la
exótica bailarina india, con toda la flexibilidad de
una pantera en su sujetador incrustado de diamantes»,
indicaban las notas sobre la colección. «Mata Hari
representa a su vez la Belle Époque eduardiana,
con su gusto por los arabescos, corsés, encajes,
faldas bordadas, colores apagados y una feminidad
exacerbada, y a la India, con su esplendor e
intrigantes misterios».

Al continuar su inspiración en artistas y pinturas,
siguiendo la larga tradición de la casa, Galliano
entremezcló la figura de su Mata Hari imaginaria
con el trabajo de algunos de los artistas más
destacados de su época, la Belle Époque, que tanta
influencia ejerció sobre el mismo Christian Dior.

Abrió la colección con una sección titulada «The
Edwardian Raj Princesses Chez Dior» («Las princesas
eduardianas del Raj en la casa de Dior»), en la
que «el gusto eduardiano neohindú» reinventaba
la emblemática chaqueta «Bar», revisada a través
de la nueva «línea pirámide» (véase pagina 273).
Con un corte muy efectivo que crea «un movimiento
hacia arriba que proviene de la espalda y sube hasta
el cuello y en ocasiones se transforma en un efecto
cuello-capa temporal, una estola-capa o incluso un
gran cuello capote, todo sobre los hombros», esta
nueva línea se «inspiraba directamente en las mujeres
ndebele, que se envuelven majestuosamente en
mantas». Las siluetas estrictamente cortadas y
encorsetadas llevaban como complemento unas joyas
de inspiración marajá (creadas por Goossens), tan
monumentales que los pendientes debían sujetarse
a unas diademas metálicas ocultas para aguantar
su peso.

A continuación llegaba «Mucha-Inspired Art
Nouveau Artists' Muses» («Musas de los artistas
Art Nouveau inspirados en Mucha»), con la «exótica
aunque triunfante feminidad de las curvas ajustadas
que nos recuerdan naturalmente a Sarah Bernhard,
la musa del Art Nouveau, y, en particular, a Alphonse
Mucha». La famosa actriz prestó su nombre a un
vestido de noche adornado con ramos bordados en
azabache, una gorguera de tul y plumas de pavorreal
diseñadas para evocar el estilo de los vitrales
Art Nouveau (página 274, inferior izquierda).

«Exotic Queens As Fashion Victims» («Reinas exóticas
como víctimas de la moda») fue la siguiente, en la
que presentaba «Reine Ranavalona III de Madagascar»
con su chal de encaje de Chantilly (página 275,
superior derecha), seguida por «Toulouse Lautrec's
Little Parisiennes» («Las pequeñas parisinas de
Toulouse Lautrec») (página 275, inferior izquierda),
«Lovely Ladies at Evenings Chez Klimt» («Damas
encantadoras en las noches en casa de Klimt») (entre
los que se encontraba el provocativo «Theodora», con
sus espectáculos mangas Montgolfier, falda de satén
cortada al bies y ceñidor de tafetán), «Mata Hari's
Dancers» («Bailarinas de Mata Hari») (con sus bodies
invisibles de tul bordados con joyería en motivos
indios: página 272, derecha) y, finalmente, «Bronze
Princesses At The Ball of the Century» («Princesas
de bronce en el baile del siglo») (página siguiente,
superior izquierda).

«In a Boudoir Mood»
(«En modo camerino»)

John Galliano se desplazó al Carrousel del Louvre
(el emplazamiento oficial para las colecciones
de París) para presentar su segunda colección
prêt-à-porter para la casa. Dos salas enormes se
convirtieron en una extravagante mansión Belle
Époque para la ocasión, «con la retroproyección de
paredes doradas y ventanas altas con vistas a los
cuidados parques», como informó Colin McDowell
para *The Sunday Times.* «El camerino, baño, comedor
y sala de billar se habían recreado hasta el último
detalle con mobiliario antiguo, incluyendo una cama
Rococó, ropas revueltas sobre las *chaise-longues* y
pétalos de rosa flotando en el agua de la bañera».

Las modelos se movían de una «habitación» a otra,
a modo de *cuadros viviente*, animadas por el diseñador
para dar vida al «personaje» particular que les había
sido asignado, en una *mise en scène* que, según la
historiadora de la moda Caroline Evans, «recordaba
los cuadros de cera detrás de los escaparates en la
Exposición Universal de París en 1900 (la primera en
presentar moda contemporánea), con su simulacro de
lujo y extravagancia de la alta costura».

La colección estaba pensada para una mujer que
«redescubre su cuerpo naturalmente ligero y grácil
con una silueta de aspecto flexible y que disfruta
vistiendo la lencería más suave que ha decidido
mostrar incluso durante el día», según indican las
notas de la colección, desarrollando aún más el tema
de la lencería que Galliano había tocado ya en su
primera colección *prêt-à-porter* para Dior (página 268,
superior derecha).

La colección, elogiada por *The Times* como «da más
vestible hasta ahora» del diseñador, se centraba sobre
todo en los vestidos de noche, muchos de los cuales
repasaban los temas de la colección de alta costura
anterior del diseñador (página 270), desde la lujosa
joyería inspirada en el Raj, hasta los ligeros vestidos
sirena de seda cortados al bies y adornados con
motivos Art Déco.

«A Poetic Tribute to the Marchesa Casati» («Un homenaje poético a la marquesa Casati»)

John Galliano invitó a su público a la Opera Garnier de París para presentarles un fastuoso espectáculo inspirado en la excéntrica musa, heredera y mecenas de las artes, la marquesa Luisa Casati, «una gran dama italiana de principios de siglo, cuya extraordinaria personalidad... la hizo famosa en toda Europa», explicaban las notas sobre la colección. Conocida con su cabello rojo, sus sombras oscuras de maquillaje para los ojos y piel blanca como la nieve, «transformó su vida en un cuento oriental, viviendo en un palacio veneciano rodeada de monos, aves exóticas, galgos y una serpiente que llevaba a modo de collar».

Retratada por artistas como Giovanni Boldini, Kees van Dongen y Augustus John, la marquesa, que declaró que quería ser «una obra de arte viviente», también cautivó al poeta Gabriele D'Annunzio, quien la apodó «Coré» (en honor a la doncella raptada por Hades, el dios del Infierno, para convertirla en su esposa y reina del Inframundo), y entre sus amigos se encontraba el artista y diseñador de vestuario de los Ballets Russes, Léon Bakst.

Acompañado por una cascada de pétalos de rosa sobre la gran escalinata de mármol en la que apareció, el primer conjunto, bautizado «Maria Luisa (apodada Coré)», era «un vestido de crinolina negro tan amplio que los editores de moda lo tuvieron que esquivar a su paso», citando a *The Times* (página 285, superior derecha).

A continuación se desarrollaron seis «Actos» diferentes. El Acto I se titulaba «A Pastoral, Sèvres-Porcelain-Style Story» («Una historia pastoral, al estilo de la porcelana de Sèvres»), inspirada en el pequeño palacio influenciado por el Trianon, en el que solía vivir la marquesa, y rememoraba el «gusto neoversallesco del siglo XVIII por... las exquisitas pastoras de porcelana blanca pintada» en una serie de conjuntos en blanco y pastel para el día, con medallones de porcelana como accesorios.

El Acto II, «English Story in a Country Garden» («Cuento inglés en un jardín rural»), fue testigo de abundantes conjuntos con rosas y adornos de hojas con nombres como «Sissinghurst» y «Garsington». En el Acto III, «Story of a Voyage in First Class» («Relato de un viaje en primera clase»), presentaba unos trajes y vestidos de viaje de corte perfecto combinados con enormes sombreros *canotier* con velo color crema, sucedidos por una serie de vestidos tango de lamé dorado con asombrosos pliegues y recogidos en el Acto IV, «Lascivious Story to a Tango Tune» («Relato lascivo con melodía de tango»), unos «kimonos de los Ballets-Russes con línea pirámide» ricamente bordados e inspirados en Poiret con cuellos altos tipo embudo en el Acto V, «Story of an Orientalist encounter with Bakst» («Relato de un encuentro orientalista con Bakst»).

Para el acto final, «Story of a Fancy-Dress Ball at the Palazzo dei Leoni» («Cuento de un baile con vestidos elegantes en el Palazzo dei Leoni»), Galliano recreó el vestido «Pulcinella» de la marquesa Casati (diseñado por Bakst para ella, página 283, inferior), y cerró la colección con un grandioso vestido de baile en azul claro con crinolina de aros sobre el que cayó un diminuto confeti en forma de mariposas en colores pastel como espectacular apoteosis final (página 285).

«Sportswear on High Heels» («Moda casual con tacones»)

Al reconsiderar su característica silueta eduardiana y altos collares masái, así como los abrigos inspirados en las formas del Poiret de 1910 que había reinterpretado en su colección anterior para la casa (*véase* página 280), John Galliano añadió un nuevo elemento a la mezcla: la ropa casual.

Para ser más precisos, añadió el *doudoune* o chaqueta de plumón acolchada, en torno a la que construyó su colección; reinterpretó esta prenda tan práctica con tejidos lujosos y colores ácidos y la ribeteó con pieles espectaculares o flecos. Se trata de «ropa casual con tacones», declaró el diseñador para describir esta nueva colección *prêt-à-porter*, que, según *The Times*, «pasó del camerino... y salió a la calle», aunque conservando una sana dosis de fantasía.

Galliano se inspiró en el trabajo de la fotógrafa italiana Tina Modotti, quien en 1913 viajó desde su país natal a California, donde formó parte de la escena artística de la ciudad antes de trasladarse a Ciudad de México a principios de la década de 1920. En México, Modotti pronto se unió a una comunidad de «vanguardistas» culturales y políticos, entre los que se encontraban Frida Kahlo y Diego Rivera, para documentar el naciente movimiento muralista mexicano y captar a los campesinos y trabajadores locales en sus imágenes líricas.

«Ese es el motivo por el que le damos un toque de México», afirmó el sombrerero Stephen Jones, quien creó una serie de sombreros de hojalata de ala ancha con motivos mexicanos, mientras la influencia del vestido folklórico mesoamericano también quedaba en evidencia a través de los diseños de estilo colcha de retales (*patchwork*) de intensos colores que adornaban muchas de las chaquetas.

«A Voyage on the Diorient Express, or the story of the Princess Pocahontas Collection» («Un viaje en el Diorient Express o la historia de la Colección Princesa Pocahontas»)

El tren de vapor «Diorient Express» y sus 33 modelos (además de las guerreras indígenas norteamericanas que les acompañaban) irrumpió de forma espectacular a través de una cortina de papel naranja en uno de los andenes de la estación de Austerlitz.

Previamente se había imaginado un encuentro entre Pocahontas y Wallis Simpson para crear su colección John Galliano de otoño / invierno 1996-1997, y en esta ocasión el diseñador se dedicó a combinar «el esplendor del Renacimiento con la gracia etérea de los indígenas norteamericanos».

«Todos a bordo para Vanity Fair, la Ruta de la Seda, la caravana de los Tres Reyes Magos cargados de oro, incienso y mirra, las embajadas de China y Persia, el esplendor morisco y el campo del Paño de Oro, donde Francisco I de los Valois y Enrique VIII de los Tudor se enfrentaron en gran fasto», proclamaban las notas sobre la colección.

Bon voyage! A las princesas de Medici, sus cabezas muy altas, gracias a las blancas lechuguillas impolutas, camino de la corte francesa, escoltadas por sus insinuantes pajes con capa y calzones, sus aburridos confesores y sobrecogedores chaperones. *Bon voyage*! A los mosqueteros con botas que en un gesto galante levantan sus sombreros de ala ancha adornados con plumas para saludar a los sorprendidos misioneros vestidos de negro que observan a su paso».

Y por supuesto, «a la princesa Pocahontas, que esconde su exótico y romántico atractivo en su vagón privado, decorado con motivos de intensos colores y patrones simbólicos bordados en piel de ante en recuerdo a las túnicas de piel de su juventud, cuando corría libre como el viento en los bosques de Virginia... Este es su primer viaje en el Diorient Express y el primer viaje de un nativo nortemericano a la Inglaterra de Jaime I».

Inspirado en los vestidos aristocráticos del siglo XVI, Galliano presentó la línea «doublet-Bar» para las chaquetas, magníficos abrigos Enrique VIII, incluyendo una lujosa creación en ante blanco ribeteada con un cuello de armiño y completamente bordada con hojas de roble, bellotas, fresas y otros motivos florales emblemáticos de la época isabelina (derecha y página siguiente, inferior derecha), complejos cortes y aberturas con tijeras dentadas, pieles voluminosas (desde zorro y marta hasta el gran cuello de visón del conjunto «Chevalier Vison Futé», página siguiente), y los vestidos de noche en seda con manga larga inspirados en los retratos de las princesas del Renacimiento (en particular, en los trabajos del pintor Lucas Cranach, el Viejo, página 293, inferior izquierda), que lleva como accesorios unos pesados collares prestados por el pueblo Miao de China para finalizar un auténtico viaje global en el el «Diorient Express».

DIORIENT EXPRESS

Comunistas y constructivistas

Después del «Diorient Express», John Galliano viajó
en el Transiberiano (aunque a menor escala, se
presentó en los cuarteles de Christian Dior en la
avenue Montaigne), y se inspiró en las vanguardias
rusas y en el Ejército Rojo chino.

«Para la primera mitad de la colección», explicó
Galliano a Andrew Bolton, «observaba los uniformes
militares chinos: el color, los toques dorados.
Los detalles en rojo, las pequeñas cuentas rojas y los
brazaletes de seda provenían de la Guardia Roja,
los discípulos jóvenes de Mao, [pero] los pliegues
provenían de Mariano Fortuny, y se crearon con
las sedas más ligeras».

El final, sin embargo, se inspiró en los motivos
geométricos de la obra de la artista nacida en
Ucrania, Sonia Delaunay, que rememoraba las crudas
composiciones supremacistas de Kazimir Malévich,
y la estética del constructivismo ruso, en particular,
los asombrosos diseños de 1920 de Varvara Stepanova
y Alexander Rodchenko.

Alta costura surrealista

John Galliano presentó una colección con influencias
del surrealismo en los salones de Dior a un público
estrictamente limitado (sin admitir a más de
60 personas a la vez, las presentaciones se realizaron
a lo largo de todo el día, para permitir a los visitantes
«disfrutar de la colección a una escala más íntima»).

«El ambiente es surrealista, como lo entendían Dalí
y Cocteau: ingenioso y asombroso en ocasiones, pero
siempre romántico», declaró Galliano. «Verá prendas
de día intercaladas con momentos de gala. La sastrería
mezcla sensualidades masculinas y femeninas así como
efectos trampantojo, a menudo en la misma prenda.
El espíritu es ecléctico y el ambiente, monocromático,
e incorpora una gran dosis de fantasía».

«He estado pensando en las fotografías de Angus
McBean y Man Ray, cuyos experimentos con la luz
jugando sobre el cuerpo y redefiniendo sus contornos
resultan fascinantes. He captado ese ambiente y lo he
interpretado con las telas más suaves para conseguir
las mismas cualidades poéticas. El lado más delicado
del surrealismo en los retratos de sociedad de
Madame Yevonde también me resulta muy atractivo.
Ella convencía a sus modelos para que se sintieran
la diosa Atenea o Diana la cazadora, y, por increíble
que parezca, Madame Yevonde provenía de
Streatham, en el sur de Londres, como yo».

En el estudio de Modigliani

En coherencia con la colección anterior de Galliano
para la casa, con fuertes influencias artísticas
(*véase* página 300), su última colección fue presentada
en un escenario en gris Dior lleno de marcos vacíos
y telas en blanco, para evocar el ambiente del estudio
de un artista.

Y el artista en cuestión era Amedeo Modigliani,
inspirando la colección en los ricos tonos de sus
cuadros y los numerosos retratos de su joven amante,
la artista Jeanne Hébuterne (como, de 1918-1919).
Al igual que Modigliani en su época, Galliano
también miraba hacia «das sutiles influencias africanas
personificadas en las esculturas de madera del grupo
étnico dogón de Mali, símbolo de fertilidad», que
mezclaba con los símbolos de Dior para «presentar
su propia visión personal para la moda informal
de Dior para el año 2000, en la que el punto
desempeñaría un papel principal», como indicaban
las notas sobre la colección.

El traje «Bar» fue reinterpretado en punto elástico
de color, y Galliano también ofreció «jerséis
asombrosamente voluptuosos, pulóveres con
grandes cuellos altos, amplios cárdigans de punto
trenzado con cierre a la espalda y abrigos con cuello
marinero cubiertos de motivos con diseño africano
muy texturados, combinados con cualquier prenda,
desde una falda larga hasta un vestido de noche,
o convertido en un vestido sirena».

Las prendas de punto se feminizaban con detalles
como flecos, efectos con plumas, texturas en tejido
de Aran, borlas gigantes, sobrehilados, entretejidos de
visón e incluso un tejido de punto brillante para los
conjuntos de noche, que presentó junto con otros
vestidos para el día «con chaquetas reversibles cortas
o en línea «A» muy larga, combinadas con una falda
lápiz corta».

La colección «Matrix»

Presentada en la Orangerie del Palacio de Versalles,
la última colección de Galliano antes del milenio
desafió cualquier expectativa: no hubo escenarios
fastuosos ni reinterpretaciones lujosas de un vestido
Luis XIV, sino una pasarela estrecha, plateada, con
cojines de agua, en el que el primer *look* era una
guerrera urbana con boina vestida de negro (derecha:
menos de un año después de los diseños inspirados
en el Ejército Rojo, *véase* página 296).

«Un viento meteórico sopla sobre esta colección de
Dior de nueva generación, extraída directamente
de Matrix, donde lo real y lo virtual coexisten
a perpetuidad», rezan las notas sobre la colección.
Citada como de «profunda inspiración», había
referencias a la película de 1999 en una serie de
conjuntos monocromáticos (negro, lima o rojo intenso)
en piel, PVC, lino engomado, *mohair* o visón.

Le sucedió un nuevo acto, y el diseñador envió
«el guardarropa del aristócrata inglés que se viste
en Saville Row, caza en Escocia, es diestro con la
vela, la pesca a mosca, la equitación, la escalada y
cuya ropa ha sido convenientemente desmenuzada
y recontextualizada para vestir a una mujer
polifacética que se deleita con la elegancia fresca de
Gainsborough y la riqueza de las preciosas miniaturas
persas» (estas últimas inspiraron unos delicados
vestidos de tul bordados y adornados con cuentas).

La temática de Galliano era «la guerrera femenina,
con cazadora, desde las marginales de la siniestra
y brillante *Waterworld*, con sus ojos sombreados en
negro… hasta las diosas incas y cazadoras africanas,
pasando por las damas del siglo XVIII dispuestas
a la caza con perros pero con una pausa para ser
retratadas por Reynolds, Raeburn y Gainsborough»,
escribió Colin McDowell en *The Sunday Times*. «La
ambientación oscilaba entre lo amenazador y lo
pastoral, y luego llegaba a lo extraterrestre, ya
que el último modelo incluía un paracaídas abierto»,
sostenido con orgullo por una amazónica Carmen
Kass que llevaba un vestido de noche en plástico
y satén con lentejuelas (página 315).

«Contemporánea e innovadora, aunque siempre
infinitamente romántica, la mujer Dior domina
brillantemente la modernidad de la elegancia
del tercer milenio», proclamaba la casa.

«Logomanía»

«La cultura de la explotación negra en la alta costura, logos a gogó, revolucionarias vestidas de cuero, cortesanas modernas blandiendo látigos, ¿dónde, si no en Dior?», se preguntaba *Vogue*. «La comedia de John Galliano comenzaba con una serie de *looks* en *denim*, salvajemente sexis, que recordaban a la glamurosa Foxy Brown: botas altas con encaje, tops hechos con fulares estampados con la firma de Dior, microfaldas deshilachadas y pantalones de cuero supersexis».

Inspirado en parte por el estilo de Lauryn Hill (cuyo último álbum, *The Miseducation of Lauryn Hill*, constituyó la banda sonora de la primera parte del desfile), Galliano resucitó el estampado logo de Dior de los archivos de la casa y lo empleó para cubrir unos minivestidos de tejano deshilachados y cortados en espiral con unas botas en tejano a juego (que más tarde llevaría Beyoncé Knowles en el video de las Destiny's Child, «Jumpin' Jumpin'»).

Los motivos ecuestres estuvieron presentes en toda la colección, desde el icónico bolso «Saddle» (silla de montar) hasta los diseños de hebilla dorada impresos sobre tops de chifón y pañuelos de seda, botas de cuero con hebilla, látigos y fantásticos vestidos de noche en satén con estrellas que recordaban los alegres diseños de las camisas de los yóqueis.

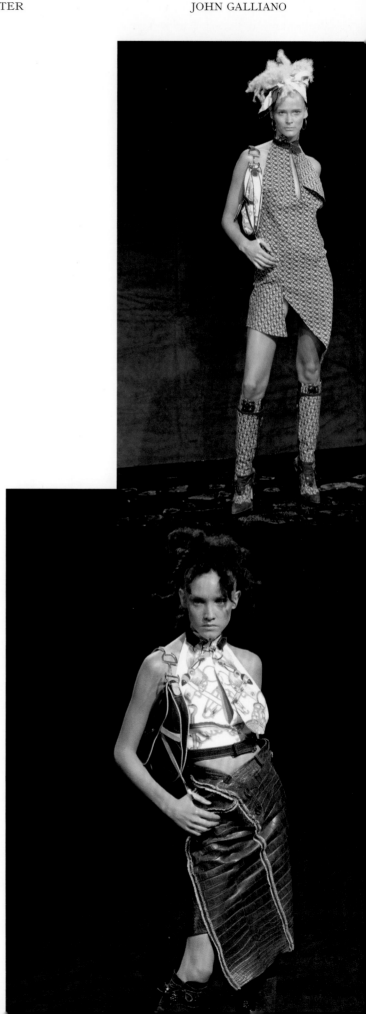

«Les Clochards» («Los vagabundos»)

Descrita por *Women's Wear Daily* como «uno de los desfiles de moda más controvertidos jamás escenificados», esta colección de alta costura se inspiraba en la población sin techo de París, la tradición del vistoso vestido «Rag Balls» (con los que se «vestía» la aristocracia y la burguesía adinerada imitando a los pordioseros), y las fotografías *Untitled (Sin título)* realizadas por Diane Arbus a los enfermos mentales.

«Quise darle la vuelta a la alta costura», declararía más tarde John Galliano sobre su colección, para la que las notas contenían solo esta frase, extraída del prólogo de Oscar Wilde a su *Retrato de Dorian Gray:* «Todo el arte es a la vez superficie y símbolo. Quienes se adentran bajo la superficie, lo hacen bajo su propio riesgo».

El tafetán de seda se estampó con páginas de diario (titulares de Dior, del *International Herald Tribune*, un recuerdo del primer estampado de diario empleado en alta costura en la década de 1930 por Elsa Schiaparelli, quien tuvo la idea al observar cómo las pescaderas holandesas formaban pequeños cucuruchos con las hojas de diario), y el diseñador «presentó unas bellezas desharrapadas con ojos de Charlie Chaplin y baratijas de indigente colgando de sus cinturas», como informó Cathy Horyn en *The New York Times*.

Al desarrollar «el tema deconstruido de sus últimas pasarelas... las prendas se giraban de atrás al frente y del revés, para dejar a la vista las etiquetas y los forros», continuaba Horyn. Le seguían una serie de conjuntos blancos atados con cordeles y cuerdas a imitación de las camisas de fuerza, y unas titubeantes bailarinas.

Para el final, el diseñador presentó tafetanes de seda pintados a mano y tules de seda, inspirados en el trabajo de Egon Schiele. «Simplemente me encantaba la idea de esta maravillosa musa que se escapa de las telas y trata de evocar esa línea ilustrativa, con pinturas reales y emulsiones sobre la tela, aplicándolas en capas sobre el tul para darle estas pinceladas pictóricas al vestido», explicaba Galliano.

«Se trataba de una auténtica *performance* artística: las fotografías de Diane Arbus cobrando vida», escribió Tamsin Blanchard, mientras que Cathy Horyn concluía: «Lo que Míster Galliano intenta hacer al mostrar la ropa de una manera aparentemente perturbada es la deconstrucción del mito de Dior».

«Fly Girls»
(«Chicas únicas»)

Basándose en los temas de sus colecciones previas
prêt-à-porter para la casa (*véase* página 316),
John Galliano creó una colección deliberadamente
exquisita, recuperando el *denim* negro (aquí en
versiones teñido anudado (*tie-dye*), la logomanía
y el bolso «Saddle» (silla de montar), por mencionar
unos cuantos elementos.

Celebrada en el Théâtre National de Chaillot, sobre
una pasarela con espejos dorados, la colección se
dividió en tres partes. La primera «recoge la influencia
de los raperos americanos, metálica y divertida»,
afirmaba la casa, «la segunda es un ballet romántico
inspirado en las bailarinas de la colección de alta
costura, y la tercera... vestidos sexis de lencería en
satén y encaje, perfectos para los Óscar y el Festival
de Cannes».

También recuperó el estampado en periódico, que
apareció con frecuencia en la colección anterior de la
casa (*véase* página 318): el *Christian Dior Daily*, creado
para la ocasión, con titulares sobre el mismo Galliano,
que aparecían sobre «volantes de muselina cortados
al bies o vestidos jersey de seda, lencería, pequeños
blusones de chinchilla y microbolsos «Saddle».

El logo de Dior y las iniciales «CD» también se
emplearon profusamente en los accesorios, desde
las hebillas «CD» en las botas de tacón de aguja hasta
los «gruesos collares de cadena con identidad Dior,
botones CD en oro y diamantes y anillos "D-I-O-R"».

«Freud or Fetish»
(«Freud o fetiche»)

Después de su anterior colección de alta costura para
la casa (*véase* página 318), motivo de gran controversia,
John Galliano se inspiró en Sigmund Freud y la idea
del fetichismo, basando su nueva colección en una
carta imaginaria de Freud a Carl Jung que decía:
«Recientemente vislumbré una explicación para el caso
del fetichismo. Hasta ahora solo se refiere a la ropa,
pero es probable que sea universal».

«Creo que Monsieur Christian Dior fue el primer
diseñador fetichista auténtico», declaró Galliano a
The Telegraph. «Tenía un complejo de Edipo, admiraba
a su madre y su *New Look* estaba lleno de simbolismo
fetichista. Basta con mirar los tacones altos, los corsés
que enfatizaban el busto y la cintura, las amplias
faldas que destacan las caderas». Añadió, para Suzy
Menkes: «Estoy intentando simbolizar lo que el
fetichismo evoca en la psicología de la ropa».

Dividida en tres partes, la colección se abría con
escenas de una boda en la sociedad eduardiana:
«Yo era la madre de la novia, pero se trataba de
una familia más bien infeliz, muy grandiosa, muy
aristocrática, muy amargada por la vida», explicaba
la modelo Marisa Berenson (página siguiente, derecha);
pero se producía un giro inesperado: el «obispo» que
oficiaba la ceremonia vestía una sotana bordada
acolchada *New Look* (página siguiente, inferior
izquierda), mientras que el novio llevaba las manos
atadas a la espalda con un collar de perlas (derecha).

A continuación, comenzaba la secuencia «pesadilla»:
«La sensación de ese niño que mira a través de la
cerradura y observa la realidad del mundo, que mamá
dormía con el chófer y que el chófer se tiraba a papá,
y esta, bueno, esta es una de sus pesadillas», declaró
Galliano. Los personajes estaban «extraídos tanto de
las pesadillas infantiles como de las fantasías sexuales
de la burguesía vienesa supuestamente conservadora»,
escribió la historiadora de la moda Caroline Evans.

Entre los personajes se encontraban una enjoyada
doncella francesa que llevaba un vestido negro bordado
y un delantal de encaje sobre un corsé de seda roja
(página 331, superior izquierda), una «mujer-caballo»
con vestido de cuero, sombrero *canotier*, silla de
montar y cola (página 331, inferior), y una muñeca
María Antonieta sutilmente siniestra (página 330,
superior izquierda, con una cruz roja marcada en su
cuello blanco, y un vestido de faya bordado a mano
con guillotinas sangrientas y cabezas de cordero
decapitado entre los motivos florales), que cobran
vida de repente.

La parte final pasaba de las pesadillas de la infancia
a las fantasías sexuales sadomasoquistas y de juegos
con cuerdas: una modelo tocada con una peluca de
abogado sujetando un nudo corredizo alrededor
de su cuello (página 332, inferior derecha), una monja
con las manos atadas con las cuentas de un rosario
(página 332, superior) y «una belleza eduardiana
con un sombrero de copa de satén rojo conducida con
una correa por un doble de Leigh Bowery en blanco
y negro (página 333, superior izquierda)», escribía
Caroline Evans: un recordatorio del arraigo de
Galliano en las zonas de los clubes de Londres.

Rasgaduras y cremalleras

Una clara ruptura con los diseños románticos anteriores de Galliano para la casa, esta colección estaba inmersa en el punk, el pop, los materiales norteamericanos, el collage y el camuflaje, llevando sus esfuerzos por la deconstrucción más lejos que nunca antes.

«Comentemos el por qué la pasarela de John Galliano para Dior de hoy, fría, trivial, estridente, brutal, histérica, fue absolutamente precisa», escribió Cathy Horyn para *The New York Times*. «Esta colección fue algo auténtico. Tenía esa sinceridad cruda, la lubricidad, la alta costura de mercadillo. Cuando comenzaron a salir las primeras modelos... apenas era posible asimilarlo todo: las medias de red y los broches de plátano, el cuero marrón gastado de una falda envolvente, las botas de motociclista con tacones de aguja, los cuerpos cubiertos con parches de marcas de coches y aceites de motor. Tenía ironía... pero también la sensación pop de la composición, de desmontar las cosas y volverlas a disponer de una forma novedosa». Y de hecho, el diseñador explicó que cada pieza de su colección podía unirse con una cremallera a cualquier otra, «para crear un *look* propio».

«Sus extrañas ropas mutantes, en las que contrapone la parte delantera de un vestido romántico a la trasera en unas telas tejanas, estaban marcadas por las cremalleras», escribía Suzy Menkes. «Rodeaban el cuerpo, amenazando con romper ventanas sobre el torso desnudo y permitiendo que las reveladoras prendas adoptaran formas diferentes... Las prendas sobre la pasarela parecían un *sampling* musical... y, de repente, apareció un aria completa de belleza tranquila, como en un abrigo de toalla de rizo salpicado de flores».

No se olvidaron los elementos comerciales: los nombres de las fragancias de Dior adornaban docenas de conjuntos, y el diseñador presentó el nuevo bolso de Dior, «Cadillac», incluyendo su chasis de charol, maneta de broche y correas sujetas por medio de un diminuto volante con un «CD» en relieve.

«Wonder Woman» («Mujer maravilla»)

«"Hija, ¡despierta! ¡Rompe las ataduras de tu mente y de tu cuerpo!"», se leía en una tira cómica de William Moulton Marston protagonizada por la superheroína Wonder Woman en 1950, adherida al tablero de inspiración de John Galliano en Dior informaba *Vogue*. La historia reimaginada de Wonder Woman como icono protofeminista constituye la línea narrativa que estructura esta colección.

El espectáculo se abre con las mujeres reprimidas de la posguerra, explicaba el diseñador, «pero a través de la vestimenta se pueden apreciar indicios de las mujeres liberadas en las que acabarán convirtiéndose». Unas secretarias remilgadas desfilaron por la pasarela con conjuntos deconstruidos y poco convencionales, a las que seguían unas amas de casa de la década de 1950 con vestidos de organza y tul de seda pintados a mano y bordados, decorados con unos motivos domésticos muy primitivos, desde tazas de té hasta productos de limpieza.

De repente, aparece Wonder Woman, en múltiples encarnaciones, «alejando a las madres frustradas con sus maternales vestidos globo en tul», informaba Suzy Menkes, personificando «unas superheroínas sexis [presentando] una habilidad asombrosa en las chaquetas de motorista customizadas en *denim*».

Para la parte final del espectáculo, la Wonder Woman de Galliano se retiraba a su lugar de nacimiento, la Isla Paraíso, solo para mujeres, donde podía «disfrutar del sol en vestidos griegos desfigurados, antiguos retazos de pieles y polvorientas botas Mad Max», concluía *Vogue*.

«Technicolour Rave» («Delirio en tecnicolor»)

John Galliano propuso una colección en colores flúor, de inspiración delirante surgida de un caleidoscopio con referencias entre las que se encontraban los filmes *Fight Club* y *Snatch*, gitanos, boxeadores irlandeses y *hippies* de la década de 1960.

«Dior explosiona en un estallido joven y colorido de optimismo, fantasía y diversión, y le visten a uno de felicidad», indican las notas sobre la colección. «Aquí está la juventud de las fiestas *rave* con sus pantalones anchos, vestidos de chifón y tops de seda... Y allí tenemos a una nueva estrella en el desfile de éxitos de los accesorios: el bolso "Boom Box", sobredimensionado y clonado de los reproductores gigantes de los raperos de la calle».

«Los detalles y accesorios se reinventaron con gran libertad, tomándolos del rap, Wall Street, el ring de boxeo o los viajeros. El itinerario de una chica mimada que, desde Irlanda hasta las orillas del Danubio, se apropia y remezcla todos los estilos que encuentra para reinventar su propia elegancia».

«Barbie goes to Tibet»
(«Barbie se va al Tíbet»)

Apoyándose en los colores fluorescentes y el espíritu
de la lucha de su colección anterior para la casa
(*véase* página 342), John Galliano abrió su colección de
alta costura con una serie de conjuntos que denominó
«Rebel Chic»: «referencias paramilitares combinadas con
un exotismo oriental no específico… alfombradas
con delicadas piezas discordantes en capas armoniosas,
al estilo Amelia Earhart en las noches de Arabia»,
según lo describía *Women's Wear Daily*. «Pongo el énfasis
en las piezas separadas, y trato la alta costura como
lo haría con la ropa casual», declaró el diseñador
a *Vogue*.

El segundo acto de la colección evocaba el ambiente
hippie-chic de Goa, con vestidos de chifón de seda
plisada pintada a mano en intensos colores, con bikinis
pintados a mano, «un poco a lo 1970, Zandra Rhodes,
esas formas más amplias, Bill Gibb, un tipo de
ambiente muy londinense», declaró Galliano a Colin
McDowell, «pintado por Georges Krivoshey y también
en teñido anudado (*tie-dye*)».

Inspirado en la imaginería tibetana y la estética
de las míticas muñecas Barbie de plástico, el final de
la colección presentó una sucesión de asombrosos
abrigos acolchados en *patchwork*, chaquetas bordadas
con plástico, pantalones en *denim* y pieles bordadas
y sobrebordadas, y camisas kimono de seda.

La forma de lazo, «asombrosa, intransigente, casi
amenazadora», de la pieza más llamativa de la
colección (página 351, superior izquierda) se inspiraba
en los trajes del teatro japonés *kyōgen*, que atrajo la
imaginación de Galliano. Desafiando a la gravedad,
no dejaba de ser ligero: «Esa es la magia de Raphael
en los talleres de la alta costura», explicaba el
diseñador; «fue construido capa a capa y decorado
por distintas bordadoras, y era posible ver horquillas
de pelo y cosas, y esta onda encantadora como de
muñeca envuelta, casi en celofán, resultaba realmente
encantadora».

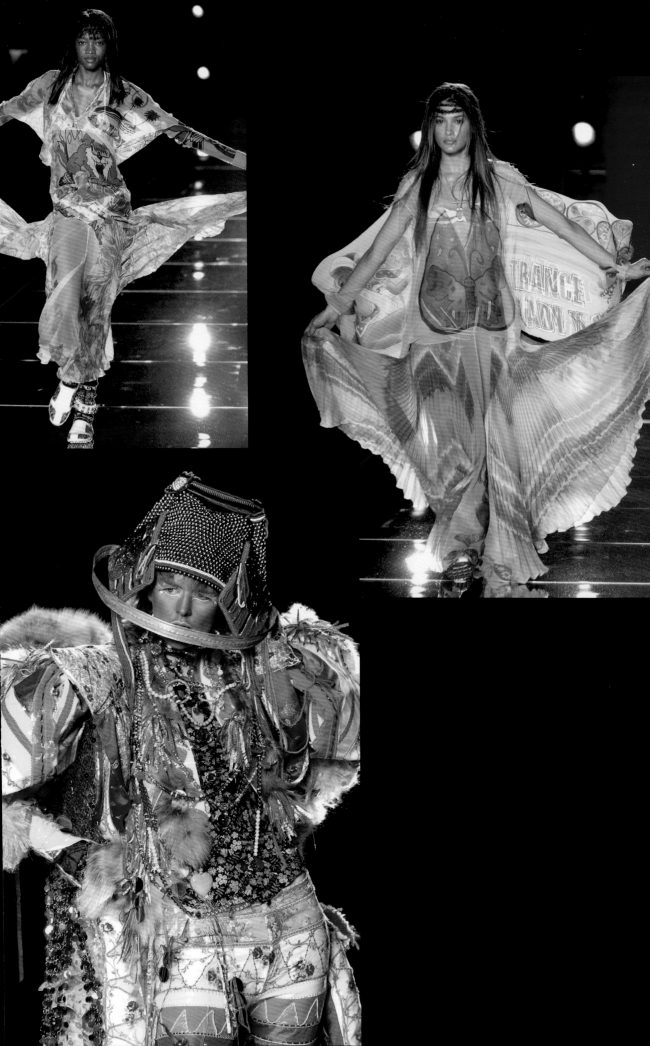

«Street Chic»
(«Chic urbano»)

John Galliano bautizó su nueva colección *prêt-à-porter* como «Street Chic», dando continuidad a su espíritu único de deconstrucción y *prêt-à-porter* para las colecciones de la casa.

Aunque abrió la colección con una serie de conjuntos románticos de satén y seda cortados al bies «sobre una serie de modelos con caras empolvadas y maquilladas al estilo de la desventurada nobleza francesa», como las describió *Vogue*, les siguieron rápidamente «una banda de rudas pandilleras de Los Ángeles con bandanas y pantalones anchos» que vestían las nuevas y finas camisetas *tattoo-print* de Galliano.

A continuación se detuvo en Oriente Medio con sus turbantes y diáfanos pantalones *sarouel*, y sus actuaciones de «lo Oriental sale al encuentro del Salvaje Oeste con chicas vaqueras que llevan Stetsons adornados con plumas que mostraban cierta afinidad por el exotismo árabe», informaba *Women's Wear Daily*.

El «Montaigne» (en alusión a los cuarteles de Dior en la *avenue* Montaigne) adornaba los Stetson con motivos a la americana, al igual que un traje blanco con pantalón Elvis espléndidamente bordado con las palabras «Memphis or Bust» (página 355, derecha) y «Christian Club», antes de que la colección realizara una parada final al sur de la frontera de Estados Unidos con sus trajes de baño con estampados sarape y un nuevo estampado «Havana» empleado en todo tipo de prendas, desde los tops de *georgette* con capucha hasta los pantalones laqueados.

De Rusia a Mongolia

Después de inspirarse en el Tíbet para su colección
anterior de alta costura (*véase* página 346), John
Galliano transportó a su público a Rusia y a
Mongolia para este espectáculo maravilloso.

«Fue el resultado de un viaje mágico por toda
Rusia, pasamos diez días investigando», explicó el
diseñador a Andrew Bolton. «Viajábamos con mochila.
Queríamos experimentar la Rusia auténtica... Fuimos
a teatros, escuelas de ballet y museos etnológicos...
Los trajes mongoles (en los archivos de los museos)
eran extraordinarios, con muchas capas y bordados.
Algunos constaban de hasta siete capas. Sirvieron
de inspiración a varias de las piezas de la colección».

Con la compañía de los tambores japoneses del grupo
Za Ondekoza sobre la pasarela, ondeadores de cintas
vestidos con tutús de plumas e incluso contorsionistas,
las modelos vestían chaquetas de *denim* bordadas
en *patchwork* y abrigos de seda, vestidos de faya
de seda multicolor y, para el final, trajes de noche
largos hasta el suelo, de tafetán de seda bordada:
«un festival de sobrecarga y maravilla sensorial»,
informaba *Women's Wear Daily*.

Un viaje a Perú

Después de India y China (*véase* página 346), México
y Cuba (*véase* página 352), y Rusia y Mongolia
(*véase* página 356), John Galliano llevó a Dior de
viaje por el mundo indígena americano ofreciendo
unos monumentales penachos mohicanos sobre gorros
de punto peruanos, faldas de *patchwork*, chaquetas de
piel de oveja, prendas de punto con pompones
coloridos y botas tipo mocasín.

«Las prendas fueron un recorte sexi de una serie
de materiales indígenas, americanos, mongoles
y tibetanos», informó Sarah Mower en *Vogue*, y
«acompañados, naturalmente, del bolso "Saddle"
constantemente actualizado de Dior».

«Sus presentaciones son como postales elaboradas»,
escribía Lisa Armstrong para *The Times*, pero «además
de recorrer los continentes, Galliano atravesó
varias décadas, incluyendo la de 1940, 1950 y 1970...
[creando] algunas de las prendas más hermosas
mostradas sobre cualquier pasarela en las últimas
tres semanas».

«New Glamour» («Nuevo glamur»)

Esta colección de alta costura se inspiró en los días dorados de Hollywood de la década de 1940 y en la idea de que Kate Moss fuera, como declaró John Galliano, «el equivalente actual de los grandes iconos del glamur de Hollywood». Un viaje de investigación llevó al diseñador y a sus colaboradores «por Los Ángeles y México... [donde] asaltaron los archivos de los estudios para buscar los trajes de Theda Bara y Marlene Dietrich», explicaba *Vogue*. La mano derecha de Galliano, Steven Robinson, explicó a *Women's Wear Daily*: «Con cada conjunto nos preguntábamos "¿Cómo lo llevaría Kate?"».

Galliano presentó «mezclas asombrosas de lo crudo y lo hermoso, lo enorme y lo minúsculo, con una nueva técnica constructiva basada en cubrir los bajos con plumas y espuma a modo de refuerzo para que las prendas fuesen ligeras como el aire», indicó la casa, perfectas para que volaran al pasar sobre una rejilla del metro al estilo Marilyn Monroe instalada sobre la pasarela imitando la icónica escena de *The Seven Year Itch*.

La colección empleaba una «combinación colorida y poco habitual de materiales, desde unas telas modestas como el algodón y el *denim* hasta el lujoso chifón y jersey de seda, el tul, los tafetanes, el satén y el encaje, aunque también las plumas de avestruz, la rafia, el ante y la piel de cocodrilo», declaró la casa, combinados con unos tocados monumentales con plumas, dignos de las mejores coristas, y zapatos de plataformas de tamaño considerable.

Coristas

Un destilado *prêt-à-porter* de la extravagancia
de inspiración hollywoodiense en la colección de
alta costura de John Galliano (*véase* página 366),
esta colección presentaba un maquillaje de corista
exagerado, zapatos de plataforma tachonados, colores
kaki (empleados en una serie de vestidos de jersey de
seda) y abundancia de plumas de avestruz, así como
vestidos paracaídas ultracortos de chifón, bikinis
metálicos y nuevos estampados fluorescentes con
collages de Dior.

El diseñador «presentó versiones accesibles de las
chaquetas de piel pantagruélicas, tubos de piel
sujetos con tiras y vestidos divinos con gran caída
que aparecieron en su presentación de alta costura
en julio», escribió Sarah Mower para *Vogue*, añadiendo
que «el método de la locura por Dior de John Galliano
ya no es motivo de debate».

China se encuentra con Japón

«Se trataba de Asia, pero no como la conocemos», informó *Vogue*. Para esta colección de alta costura, John Galliano se inspiró en un reciente viaje de tres semanas a China y Japón, donde conoció a los monjes Shaolin y a los acróbatas chinos a los que convenció para que viajaran a París para actuar en la pasarela junto a sus extraordinarias e imponentes creaciones.

«Mi viaje a China se extendió a Japón, por lo que es la confluencia de ambas culturas. Pero, en última instancia, solo es una fantasía. Nunca intento recrear nada de forma literal o religiosa. De hecho, visitar ambos países en un único viaje resultó liberador. Creo que esta libertad resulta visible en la colección, en las texturas y en las formas o volúmenes de las piezas», explicó el diseñador a Andrew Bolton. «Las formas estaban inspiradas en los trajes de ópera chinos, al igual que los colores», mientras que los tejidos en sí recordaban más a Japón.

Galliano jugaba con los contrastes, combinando un brillante vestido de noche en seda negra con un abrigo rosado de gran volumen y delicadamente bordado (derecha), y mezclaba Oriente con Occidente con unas cuantas siluetas que recordaban los aros y crinolinas del siglo XX. «Las modelos, prácticamente sumergidas totalmente en los envolventes trajes de brocado, tafetán y explosivos volantes de chifón, se movían sobre unas plataformas vertiginosas», añadía *Vogue*, en un espectáculo que «hacía añicos los límites culturales en un espectáculo de teatralidad pantagruélica».

«Hardcore Romance»
(«Romance incondicional»)

Al inspirarse en su espectacular colección de alta
costura anterior (*véase* página 374), que «estaba
íntegramente relacionada con los volúmenes,
proporciones extremas y colores deslumbrantes»,
rezaban las notas sobre la colección, «John Galliano
presenta una colección *prêt-à-porter* a menor escala
trasladando sus ideas a prendas vestibles y accesorios
divertidos: una exposición única que mezcla
influencias opuestas, lo que denomina "romance
incondicional", para las prendas sexis, con volantes,
divertidas y coloridas».

La introducción de los zapatos con grandes
plataformas «inspirados en la antigua China», así
como el nuevo bolso con forma de media luna
«The Latest Blonde», complementaban la mezcla
de caucho, piel, ante, pitón, punto, seda, organza
y chifón para la colección.

Prevalecían los estampados, desde los patrones
florales hasta los motivos japoneses y chinos, así
como los espectaculares volantes, solos o agrupados,
abrigos y chaquetas caja y cubo, e incluso pantalones
de látex con cierres de cintas al estilo corsé: «una
actitud romántica jugando con la idea de fetichismo»,
declaraba la casa (unos cuantos años después de la
colección de Galliano para Dior inspirada en el
fetichismo, *véase* página 328).

«Creating a New Dance» («La creación de una nueva danza»)

Dividida someramente en seis «momentos»: flamenco, latino, tango, salón, ballet y cancán, esta colección es un viaje a través de la India, donde los bailarines tradicionales reflejan los movimientos que se encuentran en todos los continentes en muchas formas de danza, y que le condujeron hacia una reflexión: «¿Por qué y cómo surgió la danza? ¿Qué es lo que la hace tan conmovedora y cómo ejerce su influencia sobre nosotros?», según las notas de la colección.

La incorporación de la danza ceremonial africana, las salas de baile de Jamaica y la técnica de Martha Graham, John Galliano exploró las múltiples facetas de la danza, y se concentró no solo en las actuaciones finales, sino también en «la sensación captada en los momentos del ensayo, con su energía en crudo», citando la película de 1969 de Sydney Pollack *They Shoot Horses, Don't They?* (en la que aparece un concurso de baile maratoniano) como referencia clave.

«Se trata de la negación, la pasión, la disciplina y la tensión que son tan conmovedoras», explicaba el diseñador. «Los trajes de repente salen por la ventana, es la realidad de la emoción que se siente». Este se convirtió en el objetivo de la colección: el empleo de la costura para crear «una interpretación abstracta, conceptual de la danza, creando prendas que adquieren vida por sí mismas y bailan alrededor del cuerpo».

«Las primeras telas se separaron en temas literales a modo de Tango, Flamenco, Ballet, etcétera. Después se cortaron para entretejer la magia en ellas y conseguir una expresión a partir de los materiales, la sensación de movimiento y la inmediatez, prendas que se adhieren y se mueven con el cuerpo. Prendas que parecen haber estado bailando hasta el punto de la fatiga extrema y el agotamiento. Algunas telas se modificaron hasta 16 veces para conseguir el resultado final», según declaró la casa.

«Esta colección es un vals a través de las técnicas de la alta costura, como el corte Cubo, utilizado por primera vez en la colección de alta costura de enero (*véase* página 374) para crear unas flores tridimensionales que florecen sobresaliendo de las prendas, y unos pliegues que se sujetan con cuerdas normalmente asociados con la ropa deportiva», mientras que la ropa interior «evoca los estudios de ensayo, donde se ven los forros, las mangas aparecen remangadas descuidadamente, y una camiseta se rasga y anuda para expresar la sensación de urgencia y espontaneidad».

Un homenaje a Marlene

John Galliano eligió nada más y nada menos que al icono de Hollywood, Marlene Dietrich, como su musa para esta colección, aunque le dio un giro contemporáneo. «Intenté imaginar que Marlene Dietrich estaba aquí hoy en día», explicó Galliano. «Sería Janis Joplin, sería Marianne Faithfull. Sería Courtney Love. Ellas fueron la inspiración inicial».

Una clienta leal a Dior que insistía en trajes de Dior para sus películas («no Dior, no Dietrich», dijo supuestamente incluso al gran Alfred Hitchcock), Dietrich también fue el tema de una exposición en el museo de la moda del Palais Galliera de París unos cuantos meses antes de la colección.

Mientras su influencia resultaba claramente visible en los trajes falda de satén al estilo de la década de 1940 y las estolas de pieles que abrieron la colección, se contrastaban con elementos prestados de la lencería y de la moda casual, además de combinarse con tops estampados en motivos gitanos y medias en las que se leía «Dior Gitane», «Hardcore Dior», «Adiorable» y «Carmen *corazón* Chris».

Faraones línea «H»

John Galliano, que acababa de volver de un viaje
a Egipto en el que incluyó el Valle de los Reyes,
El Cairo, Asuán y Luxor, creó una colección de alta
costura que mezclaba las referencias al Antiguo
Egipto con reminiscencias de la línea «H» del propio
Dior de la década de 1950 y las fotografías de
Richard Avedon e Irving Penn para celebrar, como
explicaba la casa, «el culto a la mujer diosa y la
supremacía de la Elegancia».

Muchos años después de su colección «Suzy Sphinx»
para su marca epónima (otoño / invierno de 1997),
el diseñador trabajó en lo que denominó la «línea
esfinge: alargada, ajustada, atenuada, pero imbuída
con la elegancia de Avedon y Penn», para producir
«una fantasía dorada que utilizaba todos los tesoros
disponibles en los talleres de costura: pan de oro,
serpiente en tonos lapislázuli, lamé plateado, cuentas
de coral, para referenciarlo todo, desde Nefertiti y
el rey Tut hasta los jeroglíficos y las pinturas en las
tumbas», informaba *Vogue*.

Al igual que la línea «H» original, la silueta era
«controlada, alargada, con un busto plano y esbelto,
caderas encorsetadas», y se expresaba a través de
vestidos entallados en forma de columna, vestidos
«momia» con cintas, cuellos en forma de pirámide, y
vestidos asombrosos con los bajos doblados con forma
de flor de loto.

Unos accesorios muy llamativos, desde pendientes
y broches con forma de escarabajo hasta las pecheras
con alas de águila y los collares turquesa, sandalias con
plataformas piramidales y zapatos festoneados
con cintas de perlas en coral y turquesa, le daban
el toque final.

«Art Déco Teddy Boys»

En respuesta a la colección egipcia de Galliano
para Dior unos meses antes (*véase* página 392), esta
presentación *prêt-à-porter* presentaba un maquillaje
llamativo, una joyería monumental (incluyendo unos
resplandecientes pendientes «ala»), cuellos chal en
forma de pirámide, estampados leopardo e intensos
amarillos, rosas y violetas.

Evocando lo que *Women's Wear Daily* describió como
«una sensación Art Déco posmoderna», la colección
se inspiraba en el estilo Teddy Boy (la subcultura
británica de la década de 1950 parcialmente inspirada
en la moda que vestían los dandis en la época
eduardiana y muy asociada con los inicios del *rock and
roll*), lo que le daba aquí un cierto aire de las décadas
de 1910 y 1920.

Al hacer referencia al trabajo del ilustrador de moda
Eduardo García Benito (quien dibujó las portadas de
Vogue e ilustró publicaciones de lujo como *La Dernière
Lettre Persane* a principios del siglo XX), Galliano
mezcló los zapatos *creepers* y los tupés característicos
de los Teddy Boys con unos exagerados abrigos *cocoon*
o kimonos de botón único y con reminiscencias a los
diseños de Paul Poiret (que se reflejan en varias de las
ilustraciones de Benito), combinados con una plétora
de accesorios con los blasones de «Dior»

Sisí emperatriz

«Viena, Estambul... al volver de un viaje por Europa central, John Galliano propone su primera versión libre para una colección que mezcla unas románticas referencias al siglo XIX, resucitando a la emperatriz Isabel («Sisí») de Austria, el glamur de las *pin-ups* de la década de 1950 y Zsa Zsa Gabor», según indicaban las notas sobre la colección.

Para su colección de alta costura más señorial hasta el momento, el diseñador «presentó un alarde regio de prendas con silueta sirena y accesorios como coronas, orbes, diamantes y largos guantes blancos que convirtieron a su público de primera categoría en humildes súbditos», informó *Vogue*.

Se emplearon los materiales más lujosos: sedas, brocados, moirés, tafetanes y terciopelos, rematados con marta, armiño y zorro, adornados con plumas de pavorreal y delicadamente bordados o pintados a mano con diseños que recordaban los del siglo XVIII inspirados en las porcelanas de Sèvres y los huevos Fabergé.

Los efectos trampantojo como los *bustiers* en color piel también formaban parte de la colección, mientras que los pliegues y recogidos que desafiaban la gravedad en unos espectaculares trajes de noche eran un alarde de las habilidades de los talleres de alta costura de Dior.

Riley, Kirsten, Kate & Gisele

Se presentaba la nueva cara de Dior, Riley Keough,
quien acababa de ser fotografiada por Nick Knight
para la última campaña de la casa, participando
en la pasarela; esta colección constaba de cuatro
secciones «inspiradas en distinto grado por Keough,
Kirsten Dunst, Kate Moss y Gisele Bündchen», reveló
Women's Wear Daily.

Los críticos de moda ensalzaron lo ponibles que
eran los conjuntos que se presentaban, desde los
trajes de *denim* y buclé crudo que recordaban la forma
curvilínea del icónico traje «Bar», y las chaquetas
de *denim* bordado con el estampado del logo de
Dior de archivo (reintroducido por primera vez por
Galliano cinco años antes, *véase* página 316), hasta
los ondulantes vestidos en crepé *georgette* y las
chaquetas de seda estampada.

Reinterpretó los temas de sus colecciones anteriores:
«las excéntricas chicas llevaban camisas de jersey
multicolor sobre escalonadas faldas de chifón
transparente y medias rayadas que desaparecían
en unas botas nepalesas que eran un amasijo de
pompones de pieles y cintas», escribía *Vogue*, mientras
que las «modelos con el cabello salvajemente rizado,
sujeto en parte con boinas de ganchillo, eran un
glorioso homenaje a los años de Biba». «Dior vive unos
tiempos muy auténticos», concluía *Women's Wear Daily*.

«Andy Warhol is Napoleon in Rags» «Andy Warhol es Napoleón en andrajos»

«Bob Dylan dijo una vez: "Andy Warhol es Napoleón en andrajos", y con esa cita comenzó el viaje», declaró John Galliano (aludiendo al verso en la canción de Dylan *Like a Rolling Stone*, que se decía había sido inspirada por la antigua debutante y leal partidaria de la Factory, Edie Sedgwick), transformando el escenario para imitar la Factory de Warhol con paredes recubiertas de papel de estaño y pantallas de televisión en las que se mostraban grabaciones de vídeo de las pruebas.

«Después de leer la cita de Dylan, quedé fascinado por Edie Sedgwick, la musa de Warhol», explicó Galliano. «El estilo de esta chica larguirucha de buena familia, que vivió sus quince minutos de fama a toda velocidad, y frente a la lente de Andy, era fascinante y trágica a la vez. Sin embargo, mientras profundizábamos en los días de Edie y Warhol, surgió un paralelismo inesperado de otra época muy distinta: la de la esposa de Napoleón, la emperatriz Josefina, y así colisionaron las dos épocas. Hemos fusionado una línea adolescente de la década de 1960 con la línea Imperio del Directorio».

Al explorar los «reinados» de Josefina y Edie, el relato quedó dividido en tres actos. En primer lugar llegó «Black», que se inició con un simple cuerpo de lana negra (derecha) «diseñado para realzar el detalle, el lujo, el jersey de Racine, los accesorios de cocodrilo», explicaba el diseñador.

La segunda sección estaba dedicada al rojo, «el color más favorecedor para llevar a la luz de las velas», según Christian Dior. «Esta sección es cruda y romántica, inspirada en Rembrandt y Cranach», continuaba Galliano. «Hemos sido irreverentes con los tejidos, y esto es lo que la convierte en contemporánea. Los lavamos, los rascamos, los hervimos, y sometimos estas grandiosas y lujosas telas a tortura hasta que únicamente quedó una telaraña, o un atisbo deshilachado de brocado, para que las gasas, tules y chifones se puedan agarrar a los terciopelos como nubes».

El acto final, «White», era suave y frágil, con una delicada silueta de organza y tules, tejidos y cristales que caen en cascada por los vestidos como copos de nieve. Los candeleros del palacio del emperador inspiraron los cristales que salpicaban el cabello de las chicas, sustituyendo los gorros y boinas de antes. Las líneas imperio del busto y los lazos Zurburan... embellecen los vestidos combinados con abrigos de cuellos napoleónicos en el azul y blanco de la cerámica de Delft para darles un toque de color. Para el final, conforme las creaciones se iban haciendo cada vez más voluminosas, también lo hacían los tocados, con creaciones en cristal basadas en los bordados chinos.

«Off-Duty Icons»
(«Iconos fuera de servicio»)

Al adaptar las referencias principales de su colección
anterior de alta costura (*véase* página 414) para el
prêt-à-porter (desde las rayas inspiradas en Edie
Sedgwick, presentadas aquí en una serie de cárdigans
y jerséis en *mohair* que abrían la presentación, hasta
los vestidos de terciopelo en línea imperio, boinas
y accesorios en cocodrilo), John Galliano tituló esta
colección «Off-Duty Icons». «La gran pantalla sale
"a la calle" cuando las sujeciones funcionales se
mezclan con las influencias más poéticas del glamur
urbano», dictaban las notas de la colección.

La aviación constituía una influencia añadida,
con chaquetas de aviador, abrigos de cuero y la
introducción del bolso de viaje de Dior (del que
colgaban etiquetas de intenso color naranja: «Retirar
antes del vuelo»); «una mezcla de piel de oveja
y lamé lo dice todo», declaraba Galliano.

«Miraba a las mujeres de otras épocas y me imaginaba
cómo se vestirían hoy en día», dijo el diseñador. «Piensa
en Amelia Earhart con su ropa de vuelo, Garbo, Edith
Piaf y otras mujeres de interés. Recuerda a Hepburn,
Gardner y Harlow e imagínalas seguidas por los
paparazzi. Quería iconos modernos que hicieran suyos
estos *looks*».

Vuelta a Granville

«Esta temporada me sentí inspirado por el legado del trabajo de Monsieur Dior, en particular las ilustraciones de moda de René Gruau, Christian Bérard, Cecil Beaton y las fotografías de Lillian Bassman», declaró John Galliano. «También quedé asombrado, durante unos viajes recientes a Perú, por los sorprendentes parecidos entre la famosa silueta del *New Look* de Dior y el vestido tradicional peruano».

El diseñador buscaba mostrar todas las capas que participan en la construcción de una prenda de alta costura, comenzando con la creación de un «corsé de trampantojo *nude*: remodelar el busto y las caderas para obtener la silueta de una ilustración de René Gruau. Al cubrir estos corsés con una capa de tela color piel, se creaba una base perfecta sobre la cual "ilustrar"», explicó el diseñador. «El trabajo de los talleres podía mostrarse con tul transparente, y las técnicas de *les petites mains* (las pequeñas manos), que suelen quedar ocultas, ¡ahora se muestran en todo su esplendor!».

Para celebrar el 100 aniversario del nacimiento de Christian Dior, la colección llevó a su público en un viaje onírico de retorno a Granville, el hogar de la infancia de Dior en Normandía. Al recrear los famosos jardines Belle Époque de la casa, aunque en una versión en ruinas, misteriosa y neblinosa, que recordaba las clásicas películas de terror de la RKO, el diseñador presentó una colección dividida en diez actos distintos, cada uno de los cuales se desarrollaba con su banda sonora diferente.

En primer lugar llegó «la madre de Dior: el joven Christian Dior observa la estricta formalidad del vestido eduardiano». El conjunto inicial, un vestido de tul bordado presentado por Erin o'Connor (derecha) fue bautizado como «Madeleine» en honor a la madre del modista, seguido por «Jacqueline» (página 418, superior izquierda) y «Ginette», como las hermanas de Dior.

La siguiente sección, «Creation: The Making of a Dress» («Creación: la confección de un vestido»), se describía como «drapear, cortar y sujetar: Monsieur Dior construye cuatro vestidos sobre sus modelos favoritas» e incluye creaciones deconstruidas nombradas según sus modelos favoritas, como «Victoire» (página 418, inferior izquierda), «Les Directrices», «Corolle: The *New Look*» (con «Carmen», página siguiente, y una sucesión de vestidos corola de inspiración peruana, bordados con rafia multicolor), seguida por «Hollywood: las sirenas de la gran pantalla eran las supermodelos de su época» (entre los que se encontraba «Vivien», modelado por Eva Herzigova, páginas siguientes, derecha), tras la cual venía un homenaje a «Clientes» y «Debutantes».

El final rondaba lo extravagante, con momentos titulados «Degas: Margot Fonteyn entertains Christian Dior, Jean Cocteau and Christian Berard with a Peruvian ballet» («Degas: Margot Fonteyn entretiene a Christian Dior, Jean Cocteau y Christian Berard con un ballet peruano»), una serie de vestidos de tul bordados en paja combinados con zapatos de ballet; «Catherinettes» (un guiño a la tradición en el mundo de la alta costura, según la cual las costureras solteras deben vestirse y llevar sombreros fantásticos en amarillo y verde el día de Santa Catarina) y finalmente «Masked Ball» (Baile de disfraces), inspirado en la pintura religiosa de Cuzco.

«Dior Nude»

Al jugar con los corsés *nude* y los efectos de
construcción / deconstrucción que caracterizaron
su colección anterior de alta costura (*véase* página 416),
John Galliano presentó una colección *prêt-à-porter*
muy centrada en el recién renovado Grand Palais de
París. Todo versaba sobre el «nude»: «Dior Nude Black
(negro), Dior Nude Lace (encaje), Dior Nude Print
(estampado), Dior Nude Layering (capas), Dior Nude
Degrade (degradado)», rezaban las notas sobre la
colección.

Según Sarah Mower de *Vogue*, el diseñador propuso
«un programa parecido a una empresa para maximizar
el potencial de una idea única en su última colección
de alta costura: el vestido de encaje negro sobre *nude*
que Kate Moss vistió durante el verano para los
premios CFDA».

Después de abrir con sus vestidos *nude* estampados
o bordados en azabache, la colección pasó a ofrecer
chaquetas y trencas *nude* con bajos visibles en cuero
blanco «del revés», seguidas de una serie de vestidos
nude transparentes, decorados con bandas de cuero
que recordaban la forma de corsés y ropa interior,
y un final con vestidos en fluida organza degradé y
chifón en tonos de «*nude* / verde» o «*nude* / violeta».

Revoluciones francesas

«El rojo es la nueva Libertina. El platino es la nueva
Maria Antonieta. El cuero es el nuevo lujo. El velo
es la nueva seducción. Dior es el nuevo erotismo»,
anunciaban las notas de la exposición, añadiendo
que John Galliano se había inspirado en un viaje por
Francia para esta nueva colección de alta costura.

«Inspiración en la corsetería» primero, en la ciudad
de Lyon, donde el diseñador se detuvo para visitar
Scandale, el fabricante de corsetería que había
trabajado con Christian Dior en la década de 1950.
Más al sur, Galliano exploró Arles y se encontró
con el fotógrafo (y amigo de Picasso) Lucien Clergue,
y aprovechó su «pasión por el toreo como tema
principal».

Al visitar la casa de campo de Marie-Laure de
Noailles, Galliano supo que su madre era descendiente
directa del marqués de Sade, lo que le proporcionó
nuevas referencias para la colección: «el erotismo y
el libertinaje», a lo que el diseñador añadió el rojo («el
color de la pasión y el favorito de Monsieur Dior»).

Presentada unos cuantos meses antes del estreno
de la película de Sofía Coppola, *María Antonieta*, la
colección también reflejó los eventos sangrientos de
la Revolución Francesa: «vestidos con enormes capas
rojas, ceñidas y burdas chaquetas, de cuero, amplias
faldas con guardainfantes, pantalones de motociclista
con encaje y velos como mortajas, sus modelos
salieron con sus cuellos festoneados con crucifijos
y marcados con la fecha de la Revolución: 1789»,
informaba Sarah Mower para *Vogue*.

Las palabras *liberté*, *égalité* y *fraternité* («libertad»,
«igualdad», «fraternidad») también estaban bordadas
en unos enormes abrigos y chaquetas en lino rojo,
pintadas a mano sobre chaquetas de tafetán
y pantalones de cuero, y decoraban el vestido
final de tul, chifón y tafetán blanco (página 427,
superior derecha).

«Hubo mucha agitación política [este último verano]»,
dijo el diseñador a *Vogue*. «Quería algo más impactante
y fuerte. El latido de lo que está ocurriendo».

«Gothic Chic»
(«Chic gótico»)

Esta colección (presentada en el Grand Palais) se
acompañaba de unas notas para la exposición que
simplemente indicaban «Buclé a chifón. Cuero a crin.
Lana a organza. Lúrex a tafetán. Lamé a seda».

John Galliano dio un toque *rock-chic* a sus ideas
revolucionarias de la temporada anterior (*véase*
página 424), conservando una gama similar de rojos
y negros con abrigos y vestidos muy largos, pero
añadiendo una gran cantidad de accesorios de cuero
de gran impacto, desde los bolsos con candado hasta
los cinturones y botas a la altura del muslo.

«El diseñador aplicó estos *looks* en una serie de piezas
versátiles —chaquetas, faldas y abrigos— que podían
oscilar entre dama y vampiresa», a juicio de *Women's
Wear Daily*, añadiendo que «Galliano estaba loco
por las pieles, y las trabajaba en combinaciones
aparentemente incongruentes: chaquetas en cuero
con visón o, en el otro extremo del espectro, tul, con
un impresionante abrigo de buclé en negro rodeado
con espirales de pelo de cabra y cordero mongol».

«Planet Botticelli» («Planeta Botticelli»)

«La reciente emisión a última hora de la noche de *Les Visiteurs du Soir*, la película clásica francesa de Marcel Carné ambientada en el siglo XV sobre la llegada de dos misteriosos emisarios enviados por el Diablo para llevar la desesperación a la humanidad, revivió muchas emociones», afirmaban las notas sobre la colección. «La belleza de la actriz francesa Arletty, en la interpretación de 1940 de la ropa medieval, contrastaba con el siniestro y extraño decorado del castillo y los jardines en los que se desarrolla la trama, que me inspiraron a contemplar el trabajo de los artistas del Renacimiento como Botticelli, Leonardo da Vinci y Jan van Eyck con una nueva luz, la luz de la Toscana de los siglos XV y XVI», explicó John Galliano.

«Visto a través de los ojos de alguien con una cultura distinta, en una época diferente (casi otro mundo), los paisajes y los habitantes del Renacimiento tardío parecen curiosamente sobrenaturales», continuaba. «La mezcla de emociones que despertó la película trajo a mi mente el surrealismo de Salvador Dalí (famoso por su uso de la langosta, un retorno al surrealismo después de la colección de primavera / verano de 1999 de Galliano para la casa, *véase* página 300), el fervor religioso de Juana de Arco, la energía anárquica del *punk rock* y el glamur icónico de la época dorada de Hollywood, experimentada por un extranjero en una tierra extraña… el sueño de la alta costura de Dior en el Planeta Botticelli».

«Back to Basics» («Vuelta a los básicos»)

Con el sonido del «Back to Basics» de Christina Aguilera, John Galliano presentó una colección muy pura y suave en tonos del gris esencial de Dior, que desfilaron por la pasarela en forma de un ejército de reencarnaciones de pelo corto de Juana de Arco, a modo de reflejo de la colección de inspiración medieval para la casa unos cuantos meses antes (*véase* página 430).

«Aún estamos en proceso de inspiración para la colección de alta costura», explicó Galliano, «pero trabajamos de una manera mucho más abstracta; en realidad, la descomponemos, la controlamos, sin emoción. Para mí ha sido una manera muy emocionante. Soy una persona muy emocional, latina, así que se trataba de un territorio novedoso para mí; me encantó».

«Su mensaje de primavera era conciso: un traje bien hecho, discreto para el día, un vestido drapeado precioso para la noche», escribía *Women's Wear Daily*. «A pesar de su aura de reservada cortesía en sutiles telas de tonos neutros, los trajes presentaban un interés considerable: una abertura en el brazo en uno de ellos, un atrevido hombro redondeado en otro y, a menudo, una medida de bordados tono sobre tono que definen la chaqueta», con aberturas y detalles de armadura trasladados desde la colección de alta costura, y con pequeños bolsos con asas de cadena como accesorio.

Madame Butterfly

Para celebrar el décimo aniversario de John Galliano en la casa, la colección de alta costura se inspiró en *Madame Butterfly*, la famosa ópera de Giacomo Puccini, que relata la historia de la joven geisha Ciocio-san (*ciocio* es la palabra japonesa que significa «mariposa») y su aventura desafortunada con el teniente estadounidense Pinkerton, quien la abandona poco después de su boda.

Presentada sobre un escenario asombroso de Michael Howells, incluyendo unas monumentales sillas gris Dior (haciendo que las modelos aparentaran tener el tamaño de una muñeca), unas flores de cerezo descomunales y espejos giratorios, la colección reflejaba la famosa historia a través de las prendas.

Tras los trajes *New Look* de inspiración «Oriente conoce a Occidente», como el traje en gazar de seda bordada de rosa e intrincados plisados, bautizado como «Konnichi-Kate» (derecha) que abrió la colección, Galliano contó la historia «de la chica en los campos, la vida sencilla, [con] tejidos naturales, linos y pajas», explicó Camilla Morton para *Vogue UK*, con unos lujosos vestidos y abrigos bordados, piezas de seda pintadas a mano en degradé y un delicado abrigo de lino pintado a mano y bordado, decorado con un motivo extraído de *La gran ola* de Hokusai (página siguiente).

A continuación se desarrollaba un nuevo acto inspirado en las geishas, con conjuntos «bautizados en honor de las destacadas mujeres del *Mikado* de Gilbert y Sullivan», indicaba Camilla Morton, como la chaqueta de seda blanca bordada «Ko-Ko-San» (página 441, inferior), seguida por el vestido de noche en gazar de seda naranja y turquesa «Satsuma-San» (página 441, superior derecha), antes de que los focos iluminaran al padre samurái de Madame Butterfly con sus creaciones oscuras y angulares en cocodrilo.

«Kimonos, obis y maquillaje de geisha se Diorizaron, transformándose en delicadas traslaciones de los trajes peplum del *New Look* y vestidos de baile con faldas largas», informaba Sarah Mower. «Cada conjunto desplegaba nuevos y maravillosos planos de origami, con sus rígidas geometrías creando escotes como flores o aves voladoras», ninguno más impresionante que el vestido de seda blanca que cerraba el desfile (página 442), vestido por Shalom Harlow, diez años después de que trabajara en el desfile inaugural de Galliano para Dior (*véase* página 262, superior derecha).

«No parece que hayan sido 10 años, pero todo lo que he hecho estaba allí, incluyendo a Monsieur Dior», dijo Galliano a Suzy Menkes, quien alabó la colección como «la más hermosa hecha hasta ahora para Dior».

Pieles y plisados

Con la monumental escalinata blanca de Michael
Howell como fondo (diseñada para recordar la de la
casa de la infancia de Christian Dior en Granville),
la colección consiguió trasladar las intricadas
referencias y técnicas de inspiración japonesa de la
pasarela anterior de alta costura (*véase* página 438)
al *prêt-à-porter*, a partir del origami y los plisados
que desafían a la gravedad, a un drapeado elegante,
faldas en niveles, asombrosos tocados y colores
intensos.

El diseñador introdujo un elemento novedoso a la
mezcla: las pieles, para un *look* muy de la década de
1940, a lo Joan Crawford. Se trataba, «virtualmente,
de un fabuloso espectáculo de Hollywood», escribió
Sarah Mower para *Vogue*, «como una nueva versión
mejorada de 2007 de *The Women* (dirigida por George
Cukor en 1939, todo un favorito de la moda), pero
interpretada en esta ocasión en un glorioso total
violeta, pistacho, azul eléctrico y fucsia en lugar
de blanco y negro».

Los accesorios adquirieron un lugar destacado,
con bolsos de piel tejida y zapatos de plataforma con
delicados lazos, para los que Galliano eligió los
«materiales más exquisitos: sedas, ante, piel, pitón,
cocodrilo y pieles, pieles y más pieles», informaba
Women's Wear Daily, al elogiar la colección como
«un brillante bombazo, una gloriosa celebración
de lo magnífico y glamuroso».

«Le Bal des Artistes»
(«El baile de los artistas»)

John Galliano volvió a los días de juventud de
Christian Dior como un entusiasta propietario de una
galería de arte (antes de comenzar a trabajar en el
mundo de la moda) para esta colección de aniversario
presentada en la Orangerie de Versalles (años después
de la trascendental colección «Matrix», *véase* página 310)
sobre una monumental pasarela de 130 metros de
largo interrumpida por unos conjuntos *tableaux* creados
por Michael Howells.

«Para celebrar el sexagésimo aniversario de la casa
de Christian Dior», declaró Galliano, «exploramos la
primera colección de Monsieur Dior, pero no de
la moda, sino la de sus artistas favoritos. Utilizando
el espíritu de los artistas neorrománticos que
representaba su galería, hemos creado el definitivo
Bal des Artistes como homenaje a la memoria de
Steven Robinson. Esta temporada, todos los *looks*
evocan la esencia de un gran maestro en la historia
del arte. El corte, la silueta y la belleza de cada
conjunto está guiada por el espíritu del estilo de
cada uno de los artistas, que hacen referencia a su
inspiración y técnicas».

Con un cierto toque elegíaco en la colección,
Sarah Mower de *Vogue* comentó que «la ambientación
subyacente era la de un profundo homenaje a dos
hombres que dedicaron su vida a la moda y murieron
demasiado jóvenes: el mismo Christian Dior y el
diseñador en jefe de Galliano, Steven Robinson, quien
falleció trágicamente en abril mientras trabajaba en
esta colección».

Para abrir, de manera muy conveniente, con una
reinterpretación «inspirada por Irving Penn» del
famoso traje «Bar» de 1947, presentado por Gisele
Bündchen (derecha), la colección rindió homenaje
al trabajo de los ilustradores más famosos de
la moda, desde Eric (página siguiente, superior
izquierda) hasta René Gruau (página 450, izquierda),
Christian Bérard (página 450, derecha) y Jean Cocteau
(página siguiente, derecha), así como a Picasso (página
siguiente, inferior izquierda) y grandes pintores
europeos: los impresionistas, Sargent, Fragonard,
Watteau, maestros españoles y holandeses, los
prerrafaelitas y muchos más. El final estaba dedicado
a los artistas del Renacimiento, incluyendo a
Botticelli (página 452, inferior izquierda), Caravaggio
(canalizado por Linda Evangelista en la página 453,
superior izquierda) y Tiziano (página 453).

Una vez desplegado el primer acto de la colección,
acompañado por los cantos en directo del Community
Gospel Choir de Londres y el Loyola Preparatory Boys
Choir, en un guiño a su doble ascendencia española
y británica, John Galliano también se había inspirado
en sus viajes personales a Andalucía invitando a
numerosos artistas españoles de la Fundación Cristina
Heeren, entre los que se encontraban Manuel Lombo,
Rafaela Reyes y el Mariquilla, quienes ambientaron
la fiesta con sus cantos y bailes, añadiendo una banda
sonora flamenca a la colección, antes de realizar su
saludo final en un traje de luces cuajado de cuentas.

Un inglés en París

Con la canción de Sting «Englishman in New York» como fondo, los conjuntos *prêt-à-porter* presentados por John Galliano para la casa después de la extravagante alta costura de la colección anterior (*véase* página 448) revisaron algunos de los hitos de su versión del estilo Dior, que desarrolló desde que fue nombrado director creativo en 1997.

Con un ambiente retro y un guiño al glamur del viejo Hollywood y en continuidad con sus colecciones más recientes para la casa «bajo el aspecto de un estilo de las décadas de 1920 a 1940, recuperó sus trajes pantalón en un tres piezas en raya diplomática y fracs con corbata blanca a lo Marlene Dietrich, recuperó las siluetas con hombros de pagoda de su colección de Madame Butterfly (*véase* página 438) y, por supuesto, presentó su visión del corte al bies propio de su estilo con sus chifones de la época del jazz y el *charmeuse* de la década de 1930», informó *Vogue*.

Madame X conoce a Klimt

«El tristemente célebre retrato que John Singer
Sargent realizó en 1884 a [Virginie] Amélie Gautreau,
conocida como *Madame X*, es el punto de partida de un
viaje de seducción», rezan las notas sobre la colección.
«El cuadro de esta belleza de la alta sociedad, que
escandalizó a París con su impactante combinación
de elegancia y erotismo, revela el interés de los
artistas de *fin de siècle* por el potencial simbólico
de la pintura».

«La perfección y el rigor sobrio del arte de Sargent
es un reflejo de la precisión del corte y la silueta
creada por Monsieur Dior, mientras que los colores
y la ornamentación se inspiran en el trabajo de los
simbolistas».

Casi todos los conjuntos de la colección están
cortados en seda de intensos colores, y tejidos con
primor: la extraordinaria artesanía dio vida a motivos
inspirados sobre todo en el trabajo del pintor Gustav
Klimt, mientras que el diseñador empleó «grandes
volúmenes para conseguir un efecto espectacular con
los exagerados peplums, trapecios y paneles plisados»,
informaba *Women's Wear Daily*.

Con el éxito de 1969 de Led Zeppelin «Whole Lotta
Love» como banda sonora, la colección contaba con
unos brillantes tocados como accesorios, «inspirados
en el *Vogue* de Diana Vreeland», explicó Galliano
(Vreeland fue editora en jefe de la revista desde 1963
hasta 1971). «Finalmente, algo en el extraño ambiente
de la arrogante alta sociedad de la década de 1960
resultó ser sorprendentemente chic», concluía
Sarah Mower de *Vogue*.

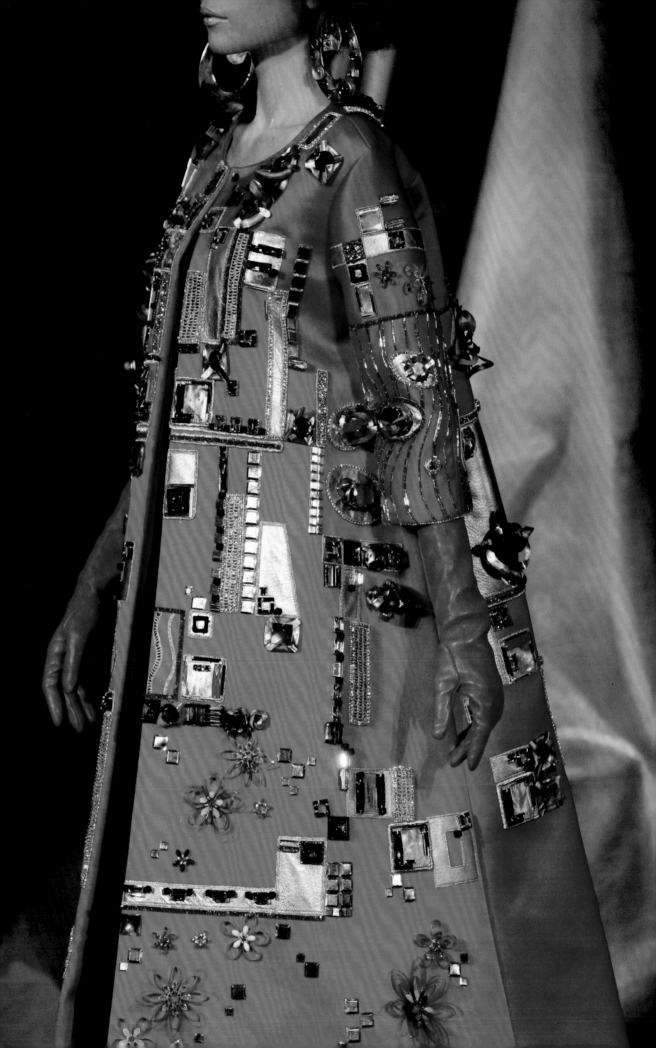

Celebración de la década de 1960

Abriendo con el sonido de «Mrs Robinson» de Simon y Garfunkel (antes de pasar a Dusty Springfield, otro icono de la década), esta colección resultó ser una oda feliz al estilo de la década de 1960, y marcó el lanzamiento de un nuevo bolso bautizado como el «61».

Con una reinterpretación de los intensos tonos naranjas, rojos, lima y fucsia y los deslumbrantes bordados geométricos de su colección anterior para la casa, e influenciada por la década de 1960 (*véase* página 456), John Galliano revisó «dos gigantescos peinados hacia atrás, los igualmente gigantescos maquillajes en los ojos y los elegantes trajes y vestidos femeninos tan queridos en la era Kennedy de Estados Unidos», informaba *Vogue*.

«Siempre estoy en busca de heroínas que me hagan soñar», afirmó Galliano. Para esta colección, entre sus musas se encontraba la actriz, modelo y superestrella de Warhol «Baby» Jane Holzer, así como Raquel Welsch y, por supuesto, la señora Robinson de *El graduado*. «Ellas inspiraron una colección de Christian Dior que Galliano describió como "glamur puro", que trabajaba el lado alegre del enérgico comedimiento hasta casi alcanzar la perfección», concluía *Women's Wear Daily*.

Homenaje a Lisa Fonssagrives

John Galliano dedicó esta colección de alta costura
a Lisa Fonssagrives, la modelo estrella de las décadas
de 1940 y de 1950 que modeló las creaciones de los
nombres más famosos en la alta costura y trabajó
con los mejores fotógrafos de su época (se casó con
Irving Penn en 1950).

Centrado en «el blanco y negro, los cortes
arquitectónicos, los corchetes de piel, los sombreros
cloche, el degradé de chifón traslúcido, los drapeados
bordados contemporáneos» y «clásicos de Dior,
transparentes y abotonados con un nuevo giro», según
las notas sobre la presentación, la colección giraba
en torno a la famosa chaqueta «Bar» de la casa,
reinventada en este caso en un cinturón corsé «Bar»
en charol o cuero bordado. «Deconstruido suena
irrespetuoso», dijo Galliano a *Women's Wear Daily*.
«Digamos, simplemente; que he descontextualizado
[la chaqueta]».

Convertida en un cinturón de charol negro vestido
sobre un abrigo de lana color crema en el *look*
que abría la colección (página siguiente, superior),
y que recordaba a una de las creaciones de
Gianfranco Ferré para la casa (*véase* página 223),
o bordado y ceñido sobre un vestido de seda
multicolor, el cinturón recordaba las curvas y
caderas acolchadas de la chaqueta «Bar» original
de 1947.

Para el final, unos corsés «Bar» ricamente bordados
se combinaron con unos vestidos de noche que
desafiaban la gravedad en tul y crin. Se trata de
«alta costura a la manera contemporánea», declaró
Galliano. «Una temporada de cambio, corte y
sofisticación. Se trata de un nuevo paso sexi
en el salón».

«Tribal Chic»

«"Tribal Chic": tachonado, con cinturones, degradado» era la temática declarada de esta colección, aunque «se trata de una visión lateral, una abstracción de África», dijo Galliano a *Women's Wear Daily*. «Nunca, nunca es literal».

El asombroso corsé «Bar» de la colección anterior de Dior (*véase* página 463) fue retrabajado en esta ocasión para dar lugar a unos *bustiers* de pitón o piel, entallados en la cintura y llevados sobre vestidos de seda ondulantes y transparentes, unos peinados rizados muy altos y collares dorados con estatuillas.

Sarah Mower de *Vogue* detectó un toque de influencia de Alaïa y Gaultier de la década de 1980; «John Galliano tenía en mente el año 1988... a juzgar por su colección de hoy, en la que vuelve la vista a esa época glamazoniana de las cinturas encorsetadas, los sostenes piramidales, los *leggins* de Lycra y los vestidos de punto que destacan la figura».

Maestros holandeses
y flamencos

La colección de alta costura anunciada como
«Más Dior que Dior» se «inspiraba en los pintores
flamencos y la estructura y corte desarrollados por
Monsieur Dior», según las notas sobre la colección.
«Los vibrantes y luminiscentes colores de Vermeer
se mezclan con la pose de los aristócratas flamencos
de Van Dyck. La habilidad de los talleres de Dior
literalmente se ha *tourné à l'envers* (vuelto del revés)»
para exponer los secretos de la construcción de una
prenda de alta costura de Dior, con sus delicados
bordados prácticamente ocultos en las enaguas
de seda que forran las amplias y sencillas faldas
texturadas.

«Pasé muchas horas en los archivos, examinando
el interior de los diseños de Dior, sometiéndolos
a un examen casi forense», explicó el diseñador a
The Telegraph. «Era como descubrir una carta de amor
perdida que declaraba su pasión por unas prendas
que están confeccionadas de manera hermosa y
elegante. Se trata de un arte, que los artesanos
y mujeres realizan con amor y orgullo».

«En cuanto a los elementos holandeses del siglo XVII»,
informaba *Vogue*, «había espaldas encorsetadas con
cierre de lazo y pergaminos de papel sobre las
caderas», además de las tonalidades de la loza de
Delft en blanco y azul, con temáticas ambientadas en
los tulipanes holandeses, amplias faldas con tréboles
de cuatro hojas y sombreros con forma de pinceladas
retorcidas creados por Stephen Jones. «Arquitectónica,
luminosa, icónica», concluyó la casa.

Miniaturas persas

«Oriente fue una gran inspiración para Monsieur Dior
(llegó a realizar un viaje allí), pero en ocasiones viajo
mentalmente», dijo John Galliano a *The New York Times*
al presentar una colección exótica que recordaba
el orientalismo de las décadas de 1910 y 1920 del
modista Paul Poiret.

«Las miniaturas persas y el sibaritismo de
los orientalistas inspiraron un nuevo *look* en los
códigos de Dior. La chaqueta "Bar" se reinterpreta
à l'envers», según se indica en las notas del programa.
«Las clásicas lanas y líneas diplomáticas de la alta
costura parisina se cortan con formas orientales.
El *New Look* se yuxtapone a Oriente en un Jacquard
ikat firmado en gris Dior».

«El lujo adquiere la forma de una cachemira de
doble cara, lana otomana y astracán, ricos brocados
adornados con recortes de estampado y con
cinturones de borlas a modo de accesorio. Las
chaquetas de cóctel se suavizan con unos pantalones
orientales cortados con gran lujo en rico satén y
lamé», mientras que los «vestidos habilidosamente
drapeados con luminosos colores joya están
delicadamente bordados con piezas metálicas
y piedras».

«Fever in the *cabine*!»
(«¡Fiebre en la *cabine*!»)

Titulada «*C'est la fièvre de la cabine!*» (la *cabine* es el
pequeño vestidor en el que se reúnen las modelos
de alta costura para prepararse y cambiarse antes
y durante los desfiles), esta colección de alta costura,
presentada en los salones de la casa en la *avenue*
Montaigne, se inspiraba en «las icónicas fotografías
de Monsieur Dior con sus modelos favoritas en la
cabine de la casa Dior», con la intención de recrear
«la energía, la emoción y la anticipación que rodean
una presentación en un salón de Dior».

Era una manera en la que Galliano rendía homenaje
a las modelos originales de la casa: Lucky, Victoire,
Alla y las demás. «Monsieur Dior adoraba a estas
chicas que daban vida a sus creaciones. Cada *look* es
individual en todos los sentidos, y se presenta como
un personaje para un público formado por los clientes
que se agolpan en el Gran Salón. Todos ellos en
fucsia, naranja, amarillo cítrico, verde ácido, cebra
o jaguar: esto es vestir a las personalidades».

Era, según Galliano, «como si las chicas no estuvieran
listas, y alguien dijera: "Simplemente ¡salid!",
permitiendo al diseñador mostrar las capas, soportes
y puntales que esculpieron las icónicas siluetas de
Monsieur Dior... Su meticulosa construcción interna
está a la vista, al igual que la habilidad de los talleres
de alta costura».

La inspiración también provino de una chaqueta de
1954 que Christian Dior había creado para Marlene
Dietrich y que Galliano descubrió en los archivos
de la casa. «Se trata de un hermoso *bustier* de terciopelo
al que habían añadido portaligas», explicó el diseñador.
Intrigado, «investigó un poco más y se dio cuenta de
que juntos habían creado lo que constituía el cuerpo
original: Marlene sujetaría su chaqueta a las ligas
y se pondría la falda por encima, para que pudiera
darle forma, pero que se pudiera mover con una línea
impecable».

«En este clima económico, quiero concentrarme en
los códigos establecidos de Dior: las chaquetas "Bar",
la pantera, el lirio de los valles», declaró a *Women's
Wear Daily*.

Cine negro

«El mundo oscuro del *film noir* crea una nueva
sirena», proclamaban las notas de la colección
prêt-à-porter, cuyas piezas inspiradas en la lencería
eran una continuación directa de la presentación
de la alta costura anterior (*véase* página 482).

«La destacada austeridad de una joven Lauren Bacall,
mujer fatal y clienta de Monsieur Dior, inspira la ropa
de día en refinadas tonalidades de *nude*, rosa pálido
y beis. Los códigos de Dior se aplican a las clásicas
trencas "Bogart" en glamuroso lamé complementadas
con el nuevo maletín Dior de la temporada».

«Evocadora y provocativa, una nueva Arletty en el
Hôtel du Nord, la sirena viste las clásicas chaquetas
Dior en línea diplomática masculina y cuadros
Príncipe de Gales con lencería», mientras que los
vestidos de noche «se abren paso con ricos tejidos
que van desde los suaves pasteles hasta el escarlata
sirena».

«Los vestidos llevan vetas y paneles en delicadas
transparencias degradadas en lamé, encaje, tul
y chifón, y muestran los sutiles forros «"Combinación
Ilusión" que recogen la sofisticada fascinación del
semidesnudo».

La influencia
de Charles James

«Leí que en realidad fue Charles James quien influyó
en Monsieur Dior para sacar el *New Look*», declaró
John Galliano a *Vogue*. «Entonces ví una fotografía de
Charles James haciendo una prueba, y en la pared al
fondo había una fotografía de unas mujeres montando
a la amazona. ¡Y así fue!».

«Charles James, y sus damas de *debut de siècle* que
montaban a la amazona (con las dos piernas al mismo
lado), dieron forma al corte y la postura asimétrica
de las nuevas chaquetas "Bar" para montar», declaró
la casa, mientras que los «vestidos con cuello halter
y las faldas para montar están cortadas en las clásicas
telas de sastrería inglesa tan apreciadas por Monsieur
Dior en barathea roja, satén de lana fucsia, tricotine,
piqué de algodón y cuadros sastre».

Tanto Dior como James «compartían su amor por las
icónicas siluetas femeninas y las ilustraciones de los
"pícaros noventa", representados por la Gibson Girl
de la década de 1890», según las notas de la colección.
«Las chaquetas de tul, con cuellos asimétricos
combinados con faldas suavemente drapeadas,
se confeccionan con vaporosos bordados texturados
de encaje, cintas e hilo de seda con capas de tul
transparente, organza y delicado encaje en suaves
tonos pastel en rosa, amarillo pálido y el más pálido
de los azules».

«Esta destacada feminidad conduce al espíritu de la
clienta y coleccionista más famosa de James, Millicent
Rogers. La excéntrica heredera solía vestir unos
atrevidos satenes en colores magenta, azul petróleo,
oliva y zafiro, todos incrustados con bordados en
cristal, y se adornaba con joyas de gran tamaño».

Para la noche, había «damas con vestidos de baile en
satén *duchesse* en dos tonalidades inspirados en la
gama de los retratos de Cecil Beaton: las extensas
faldas están cortadas para recordar el drapeado de
la falda durante los paseos a caballo».

Con el espectacular fondo creado por Michael
Howell, compuesto por más de tres mil rosas blancas,
rosadas y rojas, «desde las amazonas y la doma
clásica hasta los icónicos vestidos de baile, apreciamos
las influencias que hay detrás del *New Look* de
Monsieur Dior», concluía John Galliano.

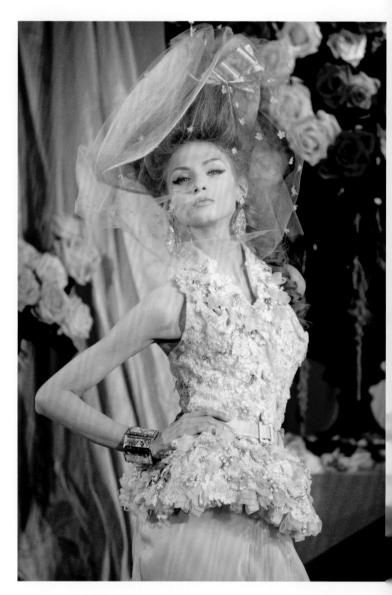

«The Seduction
of the Libertine»
(«La seducción
de la Libertina»)

Al trabajar sobre el tema ecuestre de su colección
anterior para la casa (*véase* página 490), John Galliano
añadió un toque de hedonismo a su mezcla para
esta colección *prêt-à-porter*, que bautizó como
«La seducción de la Libertina» (y que presentó
con un verso de un poeta disoluto del siglo XVII,
John Wilmot, segundo conde de Rochester: «*Since
'Tis nature's law to change, constancy alone is strange*»
(«Porque la ley de la naturaleza es el cambio,
la constancia por sí sola resulta extraña»).

«Mientras monta durante la cacería que comenzó con
la alta costura, Dior descubre intriga e inspiración
en los galantes hábitos ecuestres mientras pasa de
los establos al estilo más seductor y versiona esos
famosos románticos, los libertinos del siglo XVIII»,
según indican las notas sobre la colección.

«Los abrigos de caballería con sus cuellos muesca
se llevan abiertos sobre unos delicados vestidos
camiseros libertinos en delicada muselina y encaje,
con reminiscencias de los estampados florales del
siglo XVIII. Las texturas van desde el cuero envejecido
hasta el suave *mohair*, la ligerísima pitón hasta la piel
de caballo y el cuero picado que se mezclan sin
esfuerzo con las prendas en punto grueso».

«Los clásicos *twills* y *tweeds* de la equitación inglesa,
la espiguilla y un innovador cuadro tejido reflejan el
ambiente con una gama terrosa y apagada» para
el día, mientras los drapeados asimétricos de los
vestidos de noche se describen como «inspirados por
Delacroix». «Esta temporada, Dior asume el espíritu
heroico del romanticismo francés», anotaba Galliano.

La «Ligne Florale» («Línea floral»)

«Tulipanes papagayo, crocus, orquídeas, pensamientos, amapolas y delicados guisantes de olor dan color y forma a un maravilloso ramo del jardín de Dior» en esta colección, inspirada en la icónica línea «Tulipán» de 1953 de Christian Dior (*véase* página 62) y puesta en escena en los jardines del Museo Rodin.

«Quise aportar un nuevo e impactante florecimiento al salón y dejar que el color, la textura y la estructura de las flores inspiraran una nueva belleza y crearan la «Ligne Florale» contemporánea», declaró John Galliano, al mirar las impresionantes fotografías de las flores de Nick Knight e Irving Penn mientras creaba la colección.

En consonancia con la visión del diseñador, «las sedas *degradé*, ricas y saturadas, reflejan el espectro de color de la naturaleza», explicaba la casa, mientras «los bajos en forma de pétalos y las técnicas de corte en forma de flor, hábilmente construidas por el taller, ennoblecen las vibrantes tonalidades de buclé, fieltro, tules, *mohair* trenzado y los tafetanes».

Para la noche, unas «vívidas faldas pétalo pintadas a mano, vestidos con rosas de tul plisado y triple capa de organza estampada siguen la precisión y el pigmento de cada referencia floral para crear un jardín de nuevas bellezas Dior», ceñidas con cinturones parecidos a la rafia y tocadas con «sombreros» transparentes intensamente coloreados, una divertida alusión a los envoltorios de plástico de los floristas, creados por Stephen Jones.

South Pacific

John Galliano trasladó las intensas tonalidades de
su colección floral (*véase* página 498) a un escenario
tropical retro, que recordaba la película de 1958 *South
Pacific*, para esta colección *prêt-à-porter* (presentada
en el programa por el desafiante comentario de Bettie
Page, la «reina de las *pin-ups*»: «*Nunca* fui la chica de
al lado»).

«El sol brilla en la costa cuando Dior deja caer el
ancla en una base naval del Pacífico sur», según
las notas sobre la colección. «Las bellezas tropicales
mezclan lo masculino con lo femenino cuando Dior
combina los uniformes marineros con el encanto
exótico de la isla para crear una nueva ave del
paraíso contemporánea».

«Los chaquetones marineros y las parkas en cueros
nobuck blancos y marinos contrastan con los ricos
estampados de hibiscos, orquídeas y palmeras
del Pacífico sur», mientras «los tejidos de punto
marinos se mezclan con faldas anudadas, vestidos
de algodón estampado para el día y pantalones de
inspiración marina estilizados con el giro de un *sarong*».

Para la noche, «estampados florales y detalles de
pétalos con pliegues y nudos náuticos se embarcan
en una nueva aventura con añadidos de encaje y
estampados Galuchat. Los paseos a media noche
por la playa se acompañan con plumas exóticas,
bordados de coral y cinturones guirnalda con organza
y conchas».

El arte de René Gruau

Esta colección de alta costura se inspiraba en el
trabajo de René Gruau, el legendario ilustrador
francoitaliano y amigo de Christian Dior, que creó
algunos de los anuncios más memorables para la casa
en las décadas de 1940 y 1950, desde la ilustración
para el primer perfume de la casa, Miss Dior, hasta
el icónico cartel «Rouge Baiser», que muestra a una
mujer que lleva una venda negra en los ojos y
un carmín de labios Dior en un rojo intenso.

«Los elegantes dibujos de Gruau captaban la
esencia de Dior», afirmaba la casa. «Inspirados por
la espontaneidad de la línea, los volúmenes y los
movimientos del ilustrador, se crea una silueta fluida
y elegante. El tul degradé va de la claridad a la
oscuridad como si estuviese manipulada por un
pintor de *chiaroscuro*, mientras que la transparencia
de la organza de seda y los intensos colores de una
faya de seda evocan la intensidad y las tonalidades
de la gama cromática del pintor».

«Las líneas eran tan nítidas y definitivas como el
trazo de una pluma sobre el papel: definían unas
formas poderosas, exageradas, como caricaturas»,
según informaba *Women's Wear Daily*, mientras
que «abundaban las referencias al *New Look*
en proporciones que compensaban cualquier
racionamiento jamás realizado con las telas».

John Galliano (quien originalmente estudió
ilustración de moda en Central Saint Martins)
describió esta colección como la que supuso el
mayor reto técnico hasta la fecha, y colocó tul
negro drapeado sobre sus modelos para recordar
las sombras tanto de los trazos del grafito como
de las clásicas fotografías de moda de Irving Penn,
y sus creaciones se remataron con tocados a modo
de «pinceladas», diseñados por Stephen Jones.

Románticos ingleses

Esta fue la última colección del diseñador para
la casa, que se presentó en el Museo Rodin poco
después de despedir a John Galliano de Dior.

«La nueva silueta de Dior para el otoño-invierno
de 2011 está creada por el abrigo y la capa maxi, el
bombacho (*knickerbocker)* y la camiseta Dior Mitzah»,
rezaban las notas de la colección. La silueta
escalonada recuerda la elegancia de los poetas
románticos ingleses. Las ricas tonalidades oscuras,
junto con los terciopelos *changeant,* cachemira, chifones
y organzas crean una gama de texturas y colores.
Los cueros suaves, antes y pieles, entretejidos de
manera lujosa, la tapicería y el tejido de punto,
completan el *look* de día.

Karlie Kloss, que abrió el desfile con una capa
de cachemira larga hasta el suelo, bombachos de
terciopelo y botas hasta la rodilla (derecha), «podía
haber sido una mujer Byron o una asaltante de
caminos; sea cual fuere, una romántica renegada
siempre ha sido la quintaesencia de la mujer
Galliano», escribió Tim Blanks.

Para la noche, «los bordados, las plumas, el tul
y el encaje crearon un nuevo lujo lírico», como
destacaba Sarah Mower en *Vogue,* «con los preciosos
vestidos imperio semitransparentes en colores
pastel apagados, que salían en el momento en el que
la aportación final [de Galliano] a Christian Dior
recordaba el período de la historia que tanto había
explorado en la colección sobre «Les Incroyables» de
su graduación y que convirtió su talento en el foco
de atención».

Bill Gaytten

Una mano firme

Un talento entre bastidores lanzado al primer plano: la manera más sencilla de resumir el nombramiento de Bill Gaytten para la dirección de Christian Dior tras el despido de John Galliano en 2011. ¿La manera más fácil de resumir su reacción? Una cita apesadumbrada del mismo Gaytten: «Los vestidos se diseñan para el primer plano, no los diseñadores».

Gaytten condujo a Dior a través de uno de los períodos más tumultuosos en los más de 65 años de historia de la casa, tras la partida del director creativo John Galliano, después de casi 15 años al mando. Se trataba de una crisis sin precedentes, que dejaba a la deriva a una casa clave en París, una de las participantes más importantes en el mundo de la moda, en un momento clave en el calendario de la industria, como es la presentación de la colección *prêt-à-porter* de otoño / invierno de 2011. Esa colección ya estaba diseñada, aunque no terminada, en el momento del despido de Galliano, el 1 de marzo, por lo que Gaytten, a sus 51 años, se convirtió en el responsable inicial de la puesta en escena de la pasarela cuatro días más tarde (*véase* página 512), y de llevar al equipo de diseño por las preparaciones finales en el estudio y también tras las bambalinas. Más tarde, al frente del estudio y no tanto como director creativo, presentó dos colecciones de alta costura y dos de *prêt-à-porter* para la casa, una medida temporal mientras se sucedían los rumores sobre la identidad del diseñador que nombrarían para el puesto de director creativo. «Las circunstancias me han obligado», declaró Gaytten en septiembre de 2011, antes de tener que poner a punto la primera colección *prêt-à-porter* sin la aportación de Galliano desde 1997.

Nacido en Cheltenham, en la campiña inglesa, Gaytten estudió Arquitectura en el University College de Londres antes de verse atrapado en la órbita de la moda. Compartía un piso con varios estudiantes de Moda y se enamoró del trabajo de los diseñadores del pasado, incluyendo a Dior, se compró una máquina de coser y se dedicó a recrear prendas históricas. La capacidad técnica de Gaytten, una combinación de su amor por la moda y los conocimientos sobre construcción adquiridos durante su formación como arquitecto lanzaron su carrera, por lo que llegó a colaborar con los diseñadores británicos más destacados. Trabajó para varios de ellos, entre ellos el modista real Victor Edelstein y Sheridan Barnett, quienes habían sido profesores de Galliano en Saint Martins y que originalmente presentaron a ambos. Gaytten trabajó brevemente con Galliano en 1985; después de un período provisional de tres años, volvió en 1988 y se quedó durante otros 23, trabajando para la marca epónima del diseñador (de la que es ahora director creativo) y dirigiendo también los estudios de Givenchy y Christian Dior.

Gaytten es una persona tranquila, reservada y pálida, algo delicada: era el complemento perfecto a las fantasías de Galliano, tanto en su aspecto personal como en sus diseños. La tranquilidad de Gaytten se trasladó a sus colecciones de Dior, donde el énfasis radicaba en su fortaleza como técnico, el mago patronista que había ayudado a ejecutar muchos de los triunfos principales durante 15 años de pasarelas de Dior. La administración de Gaytten en Dior se centró, en gran medida, en la técnica: las siluetas se ajustaron a una tradición de «tentar y proyectar» tanto de Christian Dior como de Galliano, con la chaqueta «Bar» y la falda amplia en los papeles principales. Estas siluetas tan reconocibles se ejecutarían con materiales y tratamientos inesperados, utilizando tanto la destreza de Gaytten como las habilidades superlativas de los talleres de Dior. La memorable colección de alta costura de primavera / verano de 2012 de Dior, por ejemplo, presentó unos vestidos concebidos como «rayos X» de los originales de Dior, y mostraba las capas de complicada construcción necesarias para darles sus formas extremadas. También incluía bordados que reaplicaron escamas de cocodrilo, crearon el efecto de lentejuelas con piel de avestruz y confeccionaron vestidos de noche con rosas basándose en la disposición de los bordados, haciendo que parecieran un plano en lugar de un decorado final. Una presentación discreta y llena de gracia en los salones del número 30 de la *avenue* Montaigne que respiraba una gran dignidad.

Respetuoso, romántico y sobrio, son las tres palabras que resumen el difícil recorrido por la cuerda floja del año de Bill Gaytten: respeto por el legado de la moda de Galliano y Dior; romántico con una sutil coquetería en lugar de una pasión teatral; y comedido tanto en la silueta como en la gama cromática. De hecho, el período que Gaytten estuvo en Dior fue un digestivo necesario que allanó el camino del siguiente director creativo de la casa, que volvería a reiniciar a Dior y a darle un aspecto renovado para el siglo XXI.

Alexander Fury

La rosa moderna

Un equipo liderado por Bill Gaytten, que durante
muchos años había sido patronista de Galliano
(en esta ocasión en compañía de Susanna Venegas,
primera asistente de estudio de Gaytten), creó
la primera colección de alta costura desde el despido
de Galliano.

La colección se inspiró en los mundos del diseño
y la arquitectura, y abrió con una sección que
reflejaba los vibrantes temas del grupo Memphis,
fundado y dirigido en 1980 por Ettore Sottsass.

«Sottsass inspira una audaz gama cromática pastel
combinada con blanco y negro gráfico», mientras
que «las rosas de Dior mezclan los delicados pétalos
en plisados, estampados y pliegues de tafetanes
con ondas de gazar liviano y triples capas de
organzas con apliques de cuero», rezan las notas
sobre la colección. «Las nítidas líneas limpias
contrastan con un acabado crudo y cortado a mano
mientras los bordados de *tuttifrutti* polinizan con su
color. Los bordados en cuero y plástico incorporan
un alto brillo en las nuevas técnicas de drapeado».

Después del momento Memphis, «Frank Gehry inspira
unos suaves y brillantes metálicos con lentejuelas
de vidrio... Las ondas modernas se construyen con
ligeras formas *millefeuille* de belleza natural, lamé
iridiscente deshilachado y tafetanes apagados».

Finalmente, los diseñadores de interiores Art Déco,
Jean-Michel Frank y Jean Dunand inspiraron «los
estampados de madera y malaquita con lentejuelas»,
mientras que Marc Bohan «inspira los pétalos de rosa
multicolores sobre chifones pintados a mano» y el
final evoca «a Jean-Paul Goude [y] una noche en
Le Palace».

«Bar» posmoderno

Al revisar los temas gráficos de la colección de alta costura anterior (*véase* página 516) que rendía homenaje al trabajo del movimiento Memphis (el grupo de diseño posmoderno de la década de 1980 liderado por Ettore Sottsass), la primera colección *prêt-à-porter* de Bill Gaytten para la casa retrabajó las proporciones de la famosa chaqueta «Bar».

«Un ambiente de gala reinaba sobre toda la colección, no solo el gazar y la organza con la que se cortaron muchos de los conjuntos, sino también la clásica chaqueta "Bar", modernizada con un cuello más amplio», informó Tim Blanks para *Vogue*.

«Inspirada en el icónico corsé de la chaqueta "Bar" de Dior, sus elegantes proporciones se revisan y refinan», afirmaba la casa. «La sastrería se basa en la manga kimono baja de Monsieur Dior, y se reinventan las clásicas siluetas Dior con una línea de la cintura más alta y un escote más amplio, lo que define una forma más compacta y actual», mientras «la construcción gráfica recorre la colección con atrevidos estampados geométricos, rigurosos blancos y negros en espiguilla de rafia, y cristal».

La elegancia radiografiada

«La elegancia debe ser la combinación adecuada
de distinción, naturalidad, cuidado y simplicidad»;
la frase, del mismo Christian Dior, encabezaba
el programa de esta colección de alta costura, que
se inspiraba en las radiografías de las creaciones
del modista.

«La colección se compone de opuestos fotográficos,
lo que crea un proceso luminoso», declaraba la casa.
«Las enaguas se terminan con precisión mientras las
capas semitransparentes revelan la exactitud y
la construcción detrás de cada creación».

«El bordado se refleja del negro al blanco, del
blanco al negro, con una gama cromática limitada
al blanco, negro y gris Dior... La técnica de corte
se aprecia a través de las capas traslúcidas de
organdí, *plissé* y Jacquard. Las delicadas puntadas
de los acolchados y capas semibordadas revelan
la precisión del modista, la artesanía y la destreza
de la costura de Dior».

Para la noche, los «elegantes vestidos de baile de
Christian Dior reciben un tratamiento radiográfico
contemporáneo de negativos y positivos invertidos
a través de unas espectaculares siluetas de sombra
negra con blanco para crear una etérea belleza
moderna».

«Rounded Femininity» («Feminidad redondeada»)

«La colección *prêt-à-porter* de Bill Gaytten parecía un reiteramiento tranquilo del ADN de la marca actual», informaba *Vogue*. Desplegadas contra un fondo en gris Dior, «las formas puras reciben una feminidad redondeada, jugando con la textura y las tonalidades para crear una silueta contemporánea y lujosa», declaraba la casa.

«Los códigos de sastrería masculina de Dior se mezclan con una feminidad propia del ballet», según las notas de la colección. «La pata de gallo se trabaja con cinta de cuero rebordada y se combina con capas de organzas y gazares. Los tejidos masculinos de sastrería en tonos de "falso negro" se combinan con piel y cuero satinado».

«Un corte drapeado duro, básico de la chaqueta Dior, se combina con una falda nueva, más larga, tanto plisada como semiestructurada», mientras que las prendas para la noche retrabajaron «la pureza de los vestidos estructurales de Monsieur Dior, cortados con paneles transparentes en una gama de *nudes* rosados y tonalidades de joyas oscuras, casi negras».

Raf Simons

El modernista

¿Qué es «nuevo»? Esa parece ser la pregunta que preocupó al diseñador Raf Simons durante sus tres años al frente de la moda femenina de Christian Dior. ¿Cómo hacer que el legado de Dior no solo tuviese un aspecto nuevo, sino que también diera la sensación de serlo?

Ideológicamente, Simons es un modernista, conectado con el paisaje inmediato del arte y la música contemporáneos, inspirado por las subculturas y la rebelión de la juventud. De hecho, sus influencias son, superficialmente, más afines a las expresadas por el radical Yves Saint Laurent que las del burgués Monsieur Dior. Simons tiene su propia marca, una innovadora línea masculina, fundada en 1995, para explorar estas ideas.

Sin embargo, hay afinidad entre las fijaciones de Simons y las que obsesionaban a Monsieur Dior. Basta con mirar el *New Look*: prendas que captaron las aspiraciones y las tensiones de una industria de la moda en la posguerra que intentaba hacer que las mujeres volvieran a soñar. Constituyeron una profunda y pertinente reacción a los tiempos en los que fueron creadas, al igual que la colección del propio Simons en 2002, inspirada en los disturbios en torno a la cumbre del G8. Una mirada diferente, incluso un género diferente, pero la misma sensación de encapsular el momento, de incrustar la moda en una consciencia cultural más amplia. Eso es lo que hace que el trabajo de Raf Simons en Dior parezca nuevo, moderno: la noción de captar la sensación del tiempo en el que vivimos, filtrada a través de la herencia de Dior, pero que resulta contemporánea. «Intento aportar una gran cantidad de realidad a Dior», dijo Simons, «relacionada con la manera en la que las mujeres viven hoy su vida».

Simons nació en una ciudad pequeña, Neerpelt, en Bélgica, en 1968. Estudió Diseño Industrial, y no Moda, cuyo pragmatismo tiñe su enfoque en las prendas. Inicialmente se interesó por el arte contemporáneo, más que por la moda, como un reflejo de las pasiones del mismo Christian Dior. Después de asistir en 1990 a una presentación del diseñador deconstruccionista Martin Margiela, conocido por crear prendas a partir de telas inesperadas, a menudo de segunda mano, y que presentó su colección en un parque infantil y no en un salón, Simons se sintió atraído por el mundo de la moda. Las prendas de Margiela demostraron que había algo más allá del glamur y las fiestas en la moda; que podía conectar a un nivel emocional e intelectual equivalente al arte. Esta comprensión llevó a Simons a fundar su línea. Comenzó a diseñar prendas femeninas en 2005, creando *prêt-à-porter* para la marca alemana Jil Sander, en línea con las señas de identidad minimalistas de la fundadora.

La línea masculina de Simons había sido aplaudida por revolucionaria y definitoria de una época: su línea femenina resultó ser igualmente crucial. Concluyó su dirección creativa de 7 años dejando atrás una importante secuencia de colecciones en Sander: basadas en la estética de la alta costura de mediados de siglo, aunque reinterpretadas en colores neón saturados y tejidos sintéticos ligeros (que reflejaban mejor la intensidad del tinte). Estas colecciones resultaron ser muy influyentes en la moda en su conjunto; también sirvieron como ensayo para el debut de Simons en Dior, con la colección de alta costura de otoño / invierno de 2012.

La palabra más empleada para describir la visión de Simons para Dior es «moderna». La predisposición de Simons por la innovación se combinó con el romanticismo que inherentemente miraba atrás, para formar una fusión dinámica. La sensación de «actualización» de las creaciones de Dior es intrínseca: el debut de Simons en Dior emparejó la sinuosa silueta de la chaqueta «Bar» con unos pantalones estrechos, como si combinara los legados de los dos grandes revolucionarios de la casa, el mismo Christian Dior e Yves Saint Laurent (el diseñador que llevó el traje pantalón a la alta costura en la década de 1960). Otros estilos se basaban en los vestidos de baile de Dior, abreviados en la cadera para formar *bustiers* más breves sobre más pantalones estrechos. El documental de Frédéric Tcheng, *Dior and I* refleja el proceso de creación de esta colección, incluyendo el *tailleur* «Bar» y un vestido geométrico con cuentas de 1952 denominado «Esther», que acabaron en la presentación, de una forma u otra. Simons no estaba interesado en reproducir, sino en reinterpretar, «remezclar», por utilizar un término del siglo XXI, para dar a las prendas una nueva relevancia.

Este es el ejemplo literal: Simons manos a la obra con las creaciones pasadas de Dior. Pero conceptualmente también es lo que Simons buscaba hacer en la casa: utilizar sus códigos bien establecidos con un efecto distinto para crear un nuevo *look*. Raf Simons encontró una modernidad escondida en los archivos de Dior.

Alexander Fury

New «Flower Women» (Nuevas «mujeres flor»)

Para su primera colección en Dior (cuya creación quedó recogida en el documental de Frédéric Tcheng *Dior and I*), el diseñador belga Raf Simons buscó inspiración en las prendas creadas por el propio Christian Dior.

«Monsieur Dior era el arquitecto supremo del patronaje», afirmó Simons. «Podía construir algo tan perfecto y sin embargo a menudo añadía un detalle a propósito para romper esa perfección. Lo que hizo humanizaba a quien lo usara. Se podía decir que amaba a las mujeres de esa manera, en esa forma increíblemente gestual».

Simons se dedicó a «tomar los códigos de Monsieur Dior y trasponerlos para dinamizar la alta costura», con un énfasis en «el simbolismo arquitectónico del traje "Bar"... [desplazando] la construcción de la chaqueta a otras prendas», indicaban las notas sobre la colección.

El debut en Dior del diseñador tuvo lugar en un grandioso *hôtel particulier* en la *avenue* d'Iéna, en el que se habían cubierto las paredes con cientos de miles de flores frescas (desde orquídeas blancas y peonías rosadas hasta espuelas de caballero azules y mimosas amarillas), cuyos colores y «arquitectura» se reflejaban en las prendas, lo que creaba nuevas «mujeres flor» Dior (la manera en la que el mismo Monsieur Dior se refería a sus siluetas e inclinaciones del *New Look*, rindiendo homenaje a su obsesión por las flores).

«Quizá la mujer flor contemporánea se aprecie con mayor claridad en las diseccionadas siluetas de los vestidos de baile», explicaba la casa. «Comenzando con el patrón de un vestido de baile de los archivos, se corta y acorta la silueta original para formar un vestido corto o una parte superior para vestir con unos sencillos pantalones pitillo negros. La mitad superior de la silueta continúa siendo igual, inalterada, la mitad inferior enfatiza nuestra forma de vivir ahora».

Después de la chaqueta «Bar» esmoquin en lana negra que abrió la presentación (derecha) llegaron los *bustiers* recortados de los vestidos de baile combinados con pantalones sastre (incluyendo una creación en tul bordada con lunares en terciopelo fucsia, página siguiente, inspirada en el vestido «Esther» de la colección de otoño/invierno de 1952 de Dior), vestidos de día y noche con *bustiers* estructurados añadidos, un asombroso abrigo «Bar» en cachemira «rojo Dior» (página siguiente) y un inesperado vestido de cóctel con *bustier* en astracán azul eléctrico (página siguiente).

Simons tenía ganas de impulsar el desarrollo de nuevas técnicas y tejidos en costura, como lo demostró en este caso a través de unos conjuntos en estratos de malla multicolor (página 534, derecha) y, lo que es más memorable, los sutiles estampados desarrollados por Sterling Ruby en exclusiva para la colección y convertidos en abrigos de satén *duchesse* y vestidos de noche (páginas 531 y 534, inferior izquierda). Un espléndido vestido en organza blanca bordado con chifón degradado en estilo puntillista (página 535) cerraba la colección.

«Liberation»
(«Liberación»)

Para su primera colección *prêt-à-porter*, Raf Simons
eligió «explorar los temas de la liberación, tanto
a nivel histórico para la *maison* como personal
para sí mismo», declaró la casa.

Cuando Christian Dior fundó su casa y presentó
su primera colección en 1947, «abrazó lo femenino,
lo complejo y lo emocional; una idea de libertad
respecto a lo que había sido antes», explicó Simons.
«Primero hubo una idea de restricción y después
una liberación psicológica; la fundación de la casa
es una reacción a las restricciones. Yo también
quería hacer eso».

Simons pretendía a «abrazar lo sexual, emocional,
sensual y femenino» —y el cuerpo femenino—
con esta colección, que presentaba una serie de
minivestidos (entre ellos, vestidos abrigo cortos
inspirados en el traje «Bar») y «vestidos de baile
arrugados combinados de una manera informal
con pantalones cortos», descritos como «vestidos
de baile recortados», lo que confería continuidad
a la colección anterior de Simons para la casa
(*véase* página 528).

El diseñador también continuó su revisión de
las creaciones más famosas de Dior: «La chaqueta
"Bar" sufre muchas permutaciones, al igual que
las chaquetas de línea "A" (*véase* página 82) y
"H" (*véase* página 74) de la colección; los plisados
se insertan de manera arquitectónica, los godets
ondean y aportan libertad de movimiento, los
bordados y apliques aparecen en ráfagas», indican
las notas sobre la colección.

Había vestidos plisados estampados a doble cara,
combinados con pantalones cortos de lana negra,
vestidos línea «A» de tul negro y seda bordados,
y una amplia gama de tonos metálicos, desde los
minivestidos de organza hasta las faldas finales
de seda iridiscente y satén *duchesse* estampado,
combinadas con tops simples de seda negra y
cachemira (página siguiente, superior derecha) que
recordaban la primera colección de alta costura
de Simons para la casa (*véase* página 532).

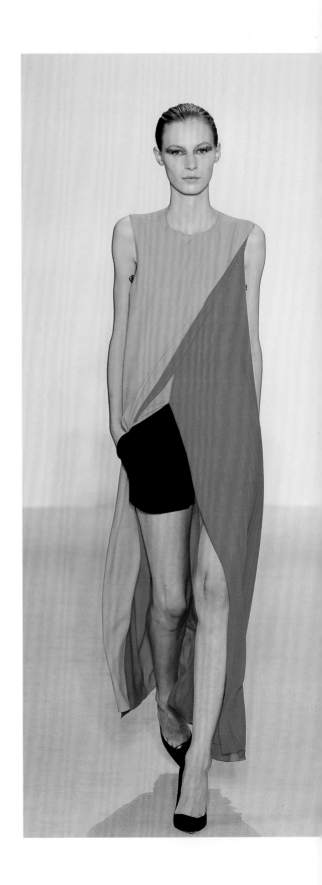

Primavera en el jardín

Raf Simons condujo a sus invitados a un nuevo jardín
Dior, creado por Martin Wirtz (hijo del arquitecto
paisajista belga Jacques Wirtz) e instalado en el
Jardín de las Tullerías en el corazón de París. «Quería
realizar una colección muy autoexplicativa esta
temporada», explicó Simons. «Literalmente, quería
que versara sobre la temporada, sobre la idea misma
de la primavera».

«Las prendas y las mujeres reflejan el paso del tiempo
en la temporada, que comienza cuando los signos
de la nueva vida y los botones de flor en el suelo
invernal pasan a ser las flores abiertas a mediados
del verano», según las notas sobre la colección. «Una
gran parte de esta sensación se consigue a través del
trabajo en el exquisito bordado de flores en numerosas
capas que se va incrementando conforme avanza la
colección, llegando eventualmente a la flor abierta
de los vestidos con espalda globo, en cuya cuidadosa
construcción oculta una forma aparentemente orgánica,
y siempre controlada por la destreza del taller».

«Persiste la sensación de que la colección crece y
cambia desde donde comenzamos con la costura la
temporada pasada», dijo Simons. «Aunque siempre
con un sentido de continuidad y realidad para quien
la viste».

Los vestidos *bustier* bordados eran abundantes;
Hamish Bowles de *Vogue* alabó el uso que hacía
el diseñador de «los bordados foliares con un ligero
toque tridimensional, las agrupaciones de delicados
pétalos de seda sobre un peplum o las flores de
campo esparcidas sobre un *bustier* de malla negra»,
aunque «huye de la simetría, abraza la estratificación,
con unas siluetas que aparentemente crecen por
fases», según declaraciones de la casa.

Después de los esmóquines negros y los vestidos *bustier*
de lamé o milhojas (tres capas), presentó finalmente
unos vestidos de baile impresionantes, incluyendo un
vestido de seda con *bustier* rosa pálido y blanco
(página 540, izquierda) que llevaría la actriz Jennifer
Lawrence a los Premios de la Academia de 2013
(donde recibió el Óscar a mejor actriz por su trabajo
en la película *Silver Linings Playbook*.

Warhol en las nubes

Esta colección, presentada sobre «un camino de nubes al estilo de Magritte», que rodeaba unas esferas gigantes de espejos (y que recordaban a la instalación de Andy Warhol de 1966 *Nubes de plata*) en un espacio especialmente construido en la plaza Vauban, cerca de Invalides, reunió al surrealismo y el arte pop al presentar una colaboración única con la Fundación Andy Warhol para las artes visuales.

«Para mí, Warhol tenía mucho sentido», explicaba Simons. «Yo estaba interesado en la delicadeza y la sensibilidad de sus primeras obras; me sentí atraído por ese estilo gráfico de una manera natural para esta colección. Se trataba de esa noción de trabajo manual y firma personal que funcionan tan bien juntos».

«Esta colección está más relacionada con las pasiones que compartimos», continuó el diseñador. «Como el interés auténtico en el arte: Christian Dior comenzó su carrera como galerista representando tanto a Dalí como a Giacometti en sus inicios. La conexión con algunas épocas de la historia también resulta significativa: la Belle Époque en su caso, el estilo Moderno a mediados de siglo, en el mío».

Los primeros trabajos de Warhol, dibujados a mano, son recurrentes en toda la colección, estampados o bordados en vestidos, faldas e incluso bolsos; ilustran el principio, que se declara en las notas de la colección, de que «esta funciona a modo de álbum de recortes visual, un collage de prendas que contienen momentos significativos en el tiempo tanto para Raf Simons como para la casa de Christian Dior».

La chaqueta «Bar» se reinventó en *denim* de lana y se combinó con pantalones Oxford; el icónico pata de gallo de Dior fue «explorado y traspuesto, emergiendo con frecuencia en los *bustiers* de lana»; Simons volvió a considerar los clásicos de Christian Dior, sobre todo el sorprendente abrigo «Arizona 1948» en lana roja (página siguiente, superior izquierda) y el vestido *bustier* «Opera Bouffe 1956», versionado en cuero negro (páginas siguientes).

«Una cierta noción de asimetría, que se inició en la colección de alta costura, resulta evidente en esta, lo que da como resultado una abundancia de permutaciones en las siluetas, que pueden ir del corto al largo en un mismo *look*. La colección está llena de yuxtaposiciones inesperadas y *non sequitur*[s] visuales; una asociación libre, como un libro de recortes personal... que culmina en lo que Simons denomina "vestidos memoria"... bordados y cubiertos de motivos que señalan hitos en la historia personal de Dior».

«Lace and Energy»
(«Encaje y energía»)

Dior viajó a Mónaco para presentar la primera
colección crucero de Raf Simons para la casa.
«El paseo marítimo de Montecarlo es el escenario
de la presentación, una dinámica franja de costa
sobre la que se deslizan las siluetas en la abierta
y moderna simplicidad del lugar», anunciaban las
notas de la colección. «Aquí, las combinaciones de
color de mediados de siglo y el movimiento esencial
de las prendas quedan realzadas por la luz del
Mediterráneo».

«En este caso, el foco estaba en el encaje y la energía»,
declaró Simons. «Fue todo un reto: nunca antes había
trabajado con encaje. Se trataba de transformar el
significado del material; no romántico, no histórico,
no viejo, en algo ligero, alegre, colorido y moderno,
con energía».

«En el fondo, la colección está formada por una
fusión razonable de diseños históricos y una visión
contemporánea del archivo de Dior, junto con una
actitud desenfadada y relajada», indicaba la casa,
mientras que «el tema del encaje se aplica en sus
múltiples maneras y tratamientos posibles: estampado,
bordado, ligado, esmaltado... llevamos el material
hasta el extremo».

No faltó una revisión a la icónica línea «Bar», al igual
que las amplias faldas «Corolla» del debut de Christian
Dior, «imaginada y redefinida para esta ocasión;
desbrozada con una cremallera de chaqueta bomber,
expresada con nuevos materiales, y con nuevas capas
de tejidos "veraniegos", que a su vez sirvieron de
aproximación a las prendas para la práctica del
submarinismo y otras formas tradicionales de baño»,
añadían las notas sobre la colección.

«Simons siempre ha elogiado el movimiento de los
vestidos de Christian Dior, pero en esta ocasión,
al menos, reconoció las restricciones de esos *looks*
originales, por lo que colocó cremalleras por doquier.
Y aerodinamismo. Y asimetría», informó Tim Blanks
para *Vogue*, mientras encumbraba «un vestido
vaporoso, estupendo, en sarga satinada que Grace
Kelly habría bienvenido, pero... bifurcado... con una
cremallera» (página siguiente, superior derecha).

El diseñador «utilizó el concepto convencional de
las prendas para crucero y trabajó con él», escribió
Cathy Horyn para *The New York Times*. «En otras
palabras, no se alejó de la idea de que se trata de
ropa para jugar y relajarse... Muchas casas de moda
están dando más libertad a sus líneas, pero Míster
Simons realmente redefine este segmento del
negocio».

Alta costura mundial

«Me molesta que se piense que la alta costura es
el payaso del circo de la moda», declaró Raf Simons
a Sarah Mower del *Vogue*. «Lo que me interesa es
alcanzar un nivel más psicológico para pensar sobre
la individualidad y las culturas en las que viven las
mujeres».

Para esta colección de alta costura, dividida en
cuatro ámbitos diferentes (Europa, América, Asia
y África), el diseñador comenzó «observando a las
mujeres que vestían alta costura de continentes y
culturas distintas; su estilo personal», explicó. «La
colección evolucionó para que Dior no solo tratara
sobre París y Francia, sino sobre el resto del mundo
y las culturas de la moda que influyen en la casa y
en mí mismo».

Cada una de las cuatro secciones presentó un enfoque
diferente. «Europa« se centraba en «la posición
prácticamente mítica de "La Parisienne" y los
vínculos íntimos con la historia de la casa Dior».
«América» era «audaz, informal, dinámica y gráfica
y aquí la bandera es una influencia emocional muy
particular», según las notas de la colección. «Asia»
presentó «prendas llenas de equilibrio, tradición
y pureza: la arquitectura y la construcción intricada
de prendas es el enfoque predominante», mientras
que, finalmente, «África» representaba «libertad,
alegría y creatividad espontánea; el estilo personal
de los masái suponen una inspiración particular»
(años después de que la primera colección de John
Galliano para la casa fusionara la estética del grupo
étnico con la silueta de Dior; *véase* página 260).

La perspectiva global de la colección también influyó
en las técnicas empleadas en los talleres de alta
costura, que emplearon los métodos tradicionales como
el *shibori* japonés (un intricado proceso de apresto y
teñido para producir telas con marcas características).

Dando continuidad a la idea de los múltiples puntos
de vista individuales que animaron a la colección,
Simons encargó a cuatro fotógrafos –Patrick
Demarchelier (para «Europa»), Willy Vanderperre
(«América»), Paolo Roversi («Asia») y Terry Richardson
(«África»)– que reinterpretaran y reimaginaran la
colección durante la presentación. Sus imágenes,
fotografiadas en sus propios estudios entre bambalinas,
se proyectaban en directo sobre las paredes blancas
detrás de la pasarela, junto a imágenes florales que
Simons había utilizado en su primera presentación
de alta costura para Dior, para «culminar visualmente
esta nueva visión distintivamente personal, aunque
global, de la alta costura», explicó la casa.

«Genetically Modified» («Modificado genéticamente»)

Esta colección, que se presentó bajo un andamio monumental del que colgaban plantas y flores de colores intensos, versaba sobre «la idea de retorcer, voltear y empujar a Dior, hasta donde lo líricamente romántico se vuelve peligroso; un hermoso jardín de rosas se vuelve venenoso», declaró Raf Simons. «Hay mucho en Dior relacionado con la naturaleza, y existe la idea de que no se puede cambiar la naturaleza. Pero yo quería cambiar la naturaleza misma de las cosas; el que la moda exista como un lugar de posibilidad, riesgo y cambio».

Comenzando por la chaqueta «Bar» (en este caso, ajustada y recortada en la cintura, derecha), «los conceptos clásicos sobre la vestimenta se modifican genéticamente, su ADN se corta o disecciona para formar nuevas siluetas», rezaban las notas de la colección.

«Las faldas y los pantalones cortos se polinizan entre sí; los plisados se emplean profunda y arquitectónicamente para recordar nuevas formas; los tejidos de punto son ligeros como plumas aunque estrictamente estructurados; se presenta un nuevo concepto de la silueta "reloj de arena"».

La colección se divide en tres categorías: «Traveller» (que significa «exploración, y a menudo se identifica por el uso de emblemas e insignias»), «Transformer» («las ideas prevalecientes de Dior transformadas y en progreso») y «Transporter» («el elemento más transgresor, que interrumpe la narrativa de Dior con su propia historia, en sentido casi literal en el caso de los "vestidos texto" que mostraban consignas como «Alice Garden», «Hyperrose» o «Primrose Path»).

«Esta temporada quería experimentar la sensación de un grupo particular de mujeres, una tribu nueva y distinta, sofisticada y salvaje al mismo tiempo», dijo Simons. «Quería experimentar el que realmente no se supiera de dónde provienen estas mujeres o hacia dónde van, que existen en un lugar nuevo de cambio y posibilidad».

«Feminine Craft»
(«Artesanía femenina»)

«Lo que se considera una artesanía definitivamente femenina en el taller de alta costura, en combinación con las relaciones personales entre creadores y clientes, es lo que celebramos esta temporada», según las notas de la colección.

Ambientada en un interior blanco, esculpido a mano, inspirado por el trabajo de la escultora Valentine Schlegel, la presentación exploraba «un mundo personal, casi privado y nunca visto de las mujeres». «El interior es un gesto radical, femenino», declaró Raf Simons, «y yo quería que las mujeres que visten estas prendas también lo sintieran».

«Veo esta colección como algo casi abstracto», explicó el diseñador. «Quería centrarme en la idea de la intimidad que rodea a la alta costura más que en ninguna otra cosa, la experiencia emocional que supone; la relación entre los clientes, el salón, las mujeres».

Transparencias, bordados y trabajo de corte se adueñaron del lugar, jugando con «las ideas de lo oculto, lo íntimo y lo expuesto». Mark Holgate de *Vogue*, alabó las delicadas y arquitectónicas «lentejuelas florales en 3D agrupadas en círculos y rodeadas por aún más organdí... y las geométricas hojas de gasa construidas en una tela tan estructurada y ligera como un milhojas».

Simons estaba ansioso por hacer que su colección de alta costura fuese contemporánea y dinámica, y combinaba varios vestidos de cóctel y noche con deportivas de alta costura, cubiertas de flores bordadas (páginas siguientes).

Christian Dior amaba el movimiento de sus prendas, dijo Simons a Tim Blanks, «y yo me preguntaba lo que habría pasado si hubiese continuado en el negocio 20 o 30 años más, en la década de 1960, cuando hubo un movimiento literal en la sociedad».

«City Lights»
(«Luces de la ciudad»)

«Esta temporada quería proponer una mujer nueva»,
dijo Raf Simons. «Una mujer con poder y energía
en una forma muy definida. Quería sacar adelante
un corte potente, para ofrecer otra realidad, otra
funcionalidad. Esta temporada no se trata tanto del
placer del jardín y más sobre el ritmo de la ciudad.
Me atrae la realidad del mundo y el entorno urbano».

Bautizada «City Lights», la colección buscaba celebrar
«la fuerza el poder de la silueta urbana junto con
las mujeres que la llevan», combinar la feminidad
con la masculinidad, las tradiciones de la sastrería
masculina con la visión de Dior de la «mujer flor».

Las telas y corte masculinos dominaban en la
colección: «solapas de pico, chaquetas cruzadas y
botones de cuerno sustituyen a los elementos más
tradicionales del *tailleur* femenino, mientras que el
flou utiliza la camisería masculina para los vestidos
y el nailon para un novedoso patrón de acolchado
(*en cannage*) incorporado en los vestidos, con una
cachemira fluida de doble cara para las prendas
de cóctel».

Las suelas de las deportivas (introducidas por Simons
en su colección anterior de alta costura para la casa,
véase página 554) se transformaron en una nueva
versión del tacón de aguja (página siguiente, superior
derecha), y sus cordones pasaron a formar parte de
las chaqueta y vestidos «Bar» con cuerpo encorsetado
(página siguiente, inferior izquierda).

«White Flag»
(«Bandera blanca»)

«Estados Unidos es una inspiración constante para mí», dijo Raf Simons al presentar su nueva colección crucero en el Astillero Naval de Brooklyn, Nueva York, a orillas del East River. «La cultura pop, la energía, la fluidez... sencillamente hay algo tan vivo aquí. Lo que siempre me gusta en Estados Unidos es que hay un enorme crisol de estilos. Pero siempre hay un *look*, un *look* con gran fuerza. Ya sea en la parte alta o en el centro, la costa Este o la Oeste, siempre hay una fuerza y una realidad en la manera de vestir de las mujeres».

«La colección contaba con el pañuelo de seda —o el *carré* [cuadrado] francés— como *leitmotiv*, que se convertía en la «bandera» de la colección: «se explora su iconografía pop con alegría; se explotan sus conservadoras connotaciones aseñoradas; se abraza su sinuosa y sensible libertad de espíritu», según las notas de la colección.

La yuxtaposición del material y la suavidad, «las construcciones tradicionales de la alta costura de la empresa, basadas en los modelos de archivo, se combinan y contrastan con las sedas de la colección, jugando con la rigidez de los corpiños y la fluidez de las mangas y faldas».

La forma *carré* influyó en la construcción de las prendas, a la vez que los patrones tradicionalmente pintados a mano inspiraron unos motivos decorativos para las sedas estampadas de la colección. «Quería explorar el estampado sin ser demasiado romántico con el asunto», dijo el diseñador a *Vogue*. «Quedé sorprendido sobre lo extraños y artísticos que eran algunos de los pañuelos en los archivos».

«Providence»
(«Providencia»)

Raf Simons recurrió a numerosas y variadas fuentes
de inspiración para esta colección, que iban desde los
vestidos de la corte del siglo XVIII hasta los trajes de
los astronautas, con todo lo que había de por medio.

«Aunque evita la estricta precisión histórica y
abraza la amalgama en la imaginación, la colección
se divide en ocho secciones distintas, cada una de
las cuales es una variación sobre un tema», según
explican las notas sobre la colección. «El amplio
margen histórico de la colección abarca influencias
a partir del siglo XVIII; adopta el atuendo cortesano
francés del siglo XVIII de ambos sexos y de la misma
manera sintetiza ideas a partir de los cosmonautas
y astronautas hasta el día de hoy: el astronauta
es un símbolo de exploración para Simons y, el vuelo,
un *leitmotiv* recurrente en la colección».

«La estructura de la temática y sus variantes son:
Robe à la Française (Vestido a la francesa), una variación
sobre los vestidos tradicionales del siglo XVIII,
una amalgama de estilos que solían llevarse con
crinolinas, aligeradas con nuevas estructuras de tul
(derecha; página siguiente, inferior; y página 565,
inferior izquierda). «Flight à la Française» («Vuelo a
la francesa»), donde el traje de vuelo se enfrenta al
vestido tradicional: los corpiños y los bordados
transpuestos en ocasiones, cremalleras y tafetán
de seda (páginas siguientes, inferior izquierda).
«1910s Linear» («Lineal de la década de 1910»): abrigos
de línea estilizada y sinuosa, de origen eduardiano,
y que viajan a través de la historia. «Bodice meets
Jacket» («El corpiño conoce a la chaqueta»), donde la
trasposición de detalles técnicos están al servicio de
la forma estructural: los corpiños se convierten en
faldas, las chaquetas se vuelven blusas... «Justaucorps
and Gilets» («Casacas y chalecos»): casacas masculinas
del siglo XVIII adaptadas a las formas femeninas
(páginas 566 y 567, superior izquierda). «1920s
Liberated» («Liberadas, década de 1920»): líneas *flapper*
amplias de la década de 1920 reimaginadas en
bordados *tour de force* (página 565, superior izquierda).
«Collar meets "Bar"» («El cuello conoce al "Bar"»):
el archivo Dior en sus volúmenes y formas más
abstractas y geométricas originarias de 1950 se
retrabaja para destacar la pureza arquitectónica
de la forma de Dior (página 567, inferior izquierda).
«Techniques, Pleats and Systems» («Técnicas, plisados
y sistemas»): enfocado en la decoración, donde
se combinan tradición y tecnología; ribeteados
tradicionales (que reflejan) los sistemas de los trajes
de los astronautas (página 567, derecha)».

«Me interesaba el proceso de la búsqueda de algo
extremadamente moderno a través de algo muy
histórico; en particular a través de la yuxtaposición
de temas diferentes», explicaba Simons. «La inspiración
histórica no es la justificación de la colección, no es
su significado completo. Lo que me atrajo era la idea
de la construcción arquitectónica, una actitud muy
Dior, y cómo los fundamentos de una era se basan
en otra, cómo el futuro se basa en el pasado: eso es
lo que me pareció fascinante».

«Providence (Extended Remix)» («Providence ([Remezcla extendida]»)

«En la anterior colección y presentación de alta costura, me interesaba el proceso de búsqueda de algo extremadamente moderno a través de algo muy histórico», explicó Raf Simons. «Para esta colección quería darle continuidad: creí que podía explorar aún más. Al comenzar con el lenguaje de los ingredientes y la forma de la alta costura, pero yendo más allá, quise que el *prêt-à-porter* tuviese una sensación más moderna, más dinámica, más real, quería que fuese accesible a un público mayor».

Titulada «Providence (Extended Remix)» para confirmar su vínculo con la anterior presentación de alta costura para la casa (*véase* página 562) y expuesta en el Cour Carrée del Louvre bajo unas intensas luces blancas «de la era espacial», la colección era la prolongación de la exploración del vestido cortesano del siglo XVIII y los trajes «de vuelo» de astronautas y cosmonautas, mientras que los «"nuevos" micro Jacquards adquieren la forma de una cuadrícula digital, que se identifica con el tradicional acolchado *cannage* de Dior, elaborado y transformado sobre los artículos de cuero», según indicaban las notas de la colección.

«La idea era confrontar lo que las personas consideran hoy en día una estética moderna: parecía más moderno ir al pasado lejano, no al *look* "modernizado" de la última década. El reto consistía en aportar la actitud de la realidad contemporánea a algo muy histórico; aportar comodidad a algo que podía percibirse como teatral. Es la actitud lo que cuenta», concluía Simons.

«Esprit Dior Tokyo» («Espíritu Dior Tokio»)

Muchas décadas después de que Dior presentara una colección de alta costura en Japón por primera vez (en 1953), Raf Simons eligió Tokio para presentar su colección pre-otoño en el estadio Kokugikan, uno de los principales estadios de sumo en Japón.

«Hay un público y un apetito por la moda en Japón como en ningún otro lugar», comentó el diseñador a Jo Ellison de *The Financial Times*. «Va más allá de la historia de la casa, aunque hay unos vínculos muy estrechos con Japón... Me inspiré en la actitud de los japoneses frente a la moda y esta colección es un giro sobre el estilo sartorial de Tokio. Quería reunir los extremos: con una mirada a lo glamuroso, lo práctico y lo arquitectónico en la vestimenta».

Al jugar con los contrastes, Simons yuxtapone mate y brillo, noche y día, una gama de colores tenue y masculina junto a los intensos primarios, lo práctico y áspero mezclado con lo hiperlujoso y refinado; «todas ellas definen la colección», indicaban las notas sobre ella.

Incluso el bolso «Lady Dior» se transformó en versiones extremas, «inflado a unas proporciones gigantes, prácticas, o convertido en algo diminuto y más decorativo con asas gruesas, consiguiendo que este clásico adquiriera las connotaciones de *kawaii*».

Las lentejuelas estaban omnipresentes, y los tejidos de punto con lentejuelas «que con frecuencia imitaban sus tradicionales contrapartes utilitarias como el punto trenzado, el tejido de Aran y los motivos Fair Isle, ahora planos y convertidos en patrones de alto brillo», o empleados como «prendas interiores estratificadas con cuellos polo, vestidas bajo otras prendas más utilitarias y cotidianas como las lanas gruesas, los cueros lavados y los algodones revestidos».

Además de recubrir los tops de manga larga debajo de vestidos blancos de crochet (página siguiente, superior), las creaciones de visón y cuero (página siguiente, abajo inferior) o las parkas sobredimensionadas de charol, las lentejuelas también se entretejían en los vestidos de lana tejida de Jacquard para conseguir un efecto brillante (página siguiente, inferior derecha).

«Moonage Daydream»

«Durante muchos años solo pensé en el futuro, y estuve en contra de idealizar el pasado, pero el pasado también puede ser hermoso», declaró Raf Simons cuando presentó la colección que bautizó «Moonage Daydream» como homenaje a David Bowie.

«En la colección se mezclan el romanticismo de la década de 1950 con la experimentación de la década de 1960 y la liberación de la década de 1970, tanto en su materialización como en su actitud. Pero en realidad quería expresar algo que fuese relevante para el día de hoy, de lo que se pudiera aprender, desde el punto de vista de ahora; algo más salvaje, más sexual, extraño y con toda certeza, más liberado».

«Al adoptar una amalgama alucinógena en la imaginación, los períodos en el tiempo se fusionan, mezclan lo tradicional con lo experimental tanto en materiales como en técnicas», indicaban las notas de la colección. Las telas y las técnicas también «rozan el límite de los talleres de alta costura» con vestidos «de encaje de guipur en varias capas» (páginas 574, derecha; 575 derecha; y 576 izquierda), en ocasiones bordados con lentejuelas (página 575 inferior izquierda), combinados con vestidos tubo, chalecos o abrigos ópera de plástico con estampados fotográficos (derecha).

«Los nuevos sistemas de cierre en cuero laqueado también estructuran y decoran (página 575, superior izquierda); los leotardos de punto Jacquard multicolor se llevan como una segunda piel al igual que las botas vinílicas en intensos colores ácidos» (página 574, izquierda), mientras que las faldas plisadas de seda blanca bordadas con cintas multicolor (página 576, derecha, y 577) «realzan esta sensación de que lo decorativo se convierte en lo arquitectónicamente estructurado de la colección».

«La típica "mujer flor" Dior se trastoca y libera en la colección. Se vuelve extraña, futurista, gráfica y decisiva en sus conjuntos florales de encaje incrustados y colgantes, leotardos tipo tatú y estampados en plástico con flores hiperrealistas, y se encuentra a la vez exquisitamente decorada y disruptiva en su terreno, el recinto octagonal y lleno de espejos de la presentación».

«Buscaba la sensación de sobrecarga sensorial tanto en la colección como en el recinto de la presentación», explicó Simons. «Algo incrustado y enjoyado aunado a la impresión provocada por los brillantes colores y la sensualidad de las prendas con una estructura e interior arquitectónicos que suponen una sensación igualmente desorientadora: un lugar en el que uno no acaba de saber dónde está o en qué período de la historia se encuentra».

«Animals»
(«Animales»)

Al construir sobre los temas desarrollados en su
colección previa para la casa (página 573, desde los
gráficos leotardos y vestidos tejidos hasta las botas
ceñidas), Raf Simons bautizó esta colección como
«Animals»: «instintiva y elegante, salvaje y siniestra,
lo natural y lo humano se juntan para crear formas
híbridas con decoraciones distintas», indicaban
las notas de la colección.

«Quería que la colección estuviera relacionada con
la naturaleza y la feminidad de una manera diferente»,
afirmó el diseñador. «Lejos del jardín y la flor, algo
más liberado, oscuro y más sexual. Esta idea había
comenzado en la costura, pero hay más extravagancia,
salvajismo y masculinidad en la manera en la que
podría presentarse una mujer. La idea de los animales
y una abstracción del estampado de su piel resultó
clave: ninguno de ellos literal, más bien la invención
de una nueva especie».

El corte masculino sobredimensionado esta presente
en toda la colección y los «ásperos *tweeds* y fieltros
de lana encuentran formas más femeninas en
abrigos ópera y otras piezas largas y sinuosas,
con aberturas asimétricas y reveladoras», explicaba
la casa. Los abstractos estampados animales actúan
como camuflaje sobre unos *bodies* y vestidos cortos,
mientras de «las largas botas vinílicas funcionan como
una segunda piel» y «las pieles de zorro canadiense,
parcialmente teñido y parcialmente natural, conforman
suntuosos abrigos o vestidos, con aberturas e insertos
de denso *tweed*».

La colección se traslada del jardín de la *femme fleur*
hacia lo que podría considerarse el terreno de la
femme animale. Presente desde la primera muestra de
Christian Dior en 1947, con el revolucionario uso
del estampado leopardo que hizo el diseñador (*véase*
página 24), abstraído y contrastado con una asombrosa
gama de color hipernatural, complementado con
bolsos que reflejan la idea de una nueva especie
exótica, esta expresión contemporánea del patrón
animal clásico subvierte y celebra al mismo tiempo
su significado».

Le Palais Bulles
(El Palacio Burbujas)

Dior y Raf Simons eligieron el singular Palais Bulles
en el sur de Francia para presentar la colección
crucero de la casa. Anclado en los acantilados
de Théoule-sur-Mer, el palacio fue diseñado por
el arquitecto «habitólogo» húngaro Antti Lovag.
Supuestamente afirmó que la línea recta es «una
agresión a la naturaleza y encontró inspiración en
las viviendas esféricas de los inuit y los primeros
seres humanos. Lovag comenzó a construir su
obra maestra en 1975 para el entonces propietario
Pierre Bernard, y tras su muerte, la casa orgánica
de terracota, con forma de burbuja en varios niveles,
fue adquirida por el modista (y antiguo «jefe de *atelier,
tailleur*» de Monsieur Christian Dior) Pierre Cardin.

«En muchos sentidos es una forma de arquitectura que
no se puede relacionar con otra», afirmó Raf Simons.
«Es más humana que racional; individual y alegre. Es
un lugar que me ha fascinado durante muchos años
y estoy muy feliz de poder presentarla aquí».

«El diseñador adoptó el Palais Bulles como «metáfora
sobre el enfoque global de la colección», explicaban
las notas sobre la colección, «y se inspiraba en los
colores, texturas y luz del mundo natural de la Costa
Azul, junto con el estilo de las personas que lo han
habitado».

«Una confluencia de estilos, patrones, texturas
y técnicas evocan el mundo variado del sur: el
mono del trabajador y el guardapolvo del artista,
el traje de baño y el vestido de noche cortado al
bies que se encuentran naturalmente codo con codo»,
al tiempo que una sensibilidad «manual» interviene
en «la exploración de habilidades "más caseras" y
tradicionales, como la versión del taller de crochet,
el nido de abeja y el *patchwork*».

Los tops en tejido de red se superponen sobre fluidas
faldas plisadas cortas, mientras que el acolchado de
la icónica chaqueta «Bar» se replica en un body con
pantalón corto en punto de *tweed* engomado (derecha).
«La tierra, el cielo y los paisajes marinos encuentran
su forma en los collages en telas de Lurex (página
siguiente, superior izquierda), y las pieles se tejen
para formar estructuras como tapices que abstraen
el mundo orgánico de pañuelos y vestidos».

«The Garden of Earthly Delights» («El jardín de las delicias terrenales»)

Raf Simons se inspiró en los antiguos maestros de la pintura flamenca para esta colección, titulada en honor a la obra maestra de El Bosco de finales del siglo XV, y cuyas luminosas tonalidades de rosa y verde emulaba.

«Quedé intrigado por la idea del fruto prohibido [reimaginado en este caso como los brillantes objetos redondos esparcidos sobre la pasarela] y lo que eso significa ahora», dijo el diseñador belga. «La idea de la pureza y la inocencia frente al lujo y el sibaritismo y cómo se encapsula en la idea del jardín de Dior, ya no un jardín de flores, sino uno sexual. La inspiración original provino de los maestros flamencos y su manera de pintar», explicó Simons, e igualmente de la colección deconstruida de otoño / invierno de 1997 de Martin Margiela, con sus prendas con una sola manga y niveles asimétricos (y en ocasiones sujetas con papel de patronaje) para dar la impresión de estar a medio hacer.

«El Famoso *manteaux* Dior muestra su parecido con los mantos de finales de la Edad Media y los vestidos de la Belle Époque, con un uso amplio y espectacular del tafetán de seda», explicaba la casa. «Por otra parte, la joyería es de lo más lujoso y expresivo, en la forma novedosa de una cota de malla en *cannage* (rejilla) que se lleva como un chaleco sobre las prendas» (páginas 588 y 589).

«Las influencias flamencas y francesas confluyen en los gestos teatrales, como si se tratase de un *impasto*, de los drapeados, la concentración en las mangas históricas (algo de pieles sobre los abrigos de neopreno; *véase* página 588 inferior, izquierda), y la aplicación impresionista y puntillista de diseños que con frecuencia se pintan a mano sobre los materiales de la colección o se confeccionan a partir de intricadas plumas cortadas» (páginas 586 y 587).

«Quería que esa sensación de lo sensual y lo lujoso estuviese implícito en la colección», afirmó Simons. «Al mismo tiempo, lo inocente, gestual y personal también debería estar allí: me he inspirado repetidas veces en la calidad gestual del trabajo de Monsieur Dior. El impacto histórico vuelve a introducirse en la realidad y, para mí, esto es lo que constituye algo moderno. El recinto, en muchos sentidos, es como una iglesia modernista, puntillista: es el lugar en el que confluyen todos estos intereses».

«Horizon»
(«Horizonte»)

Con una montaña de espuelas de caballero al
fondo («puede verse una avalancha de flores en el
Cour Carrée del Louvre, que se escapa de los límites
tradicionales de la instalación para el espectáculo y
que derrama hacia el interior y el exterior un suave
y fluido paisaje de futuro», se lee en las notas sobre
la colección. La última colección de Raf Simons
para Dior se tituló «Horizon»: «una línea naturalista
de belleza, limpia y clara, que mira desde el pasado
hacia la inmensidad del futuro».

«Es sosegada, y muy suave, alejada de lo excesivo»,
dijo el diseñador a Sarah Mower de *Vogue*. «No lo
quería embellecer. Así que pensé en el sur de Francia,
los arcoíris y las cosas sencillas. Y aquí hay un poco
del ambiente victoriano: algo de esa película *Picnic
en Hanging Rock*. Con un ligero trasfondo sexual
de oscuridad».

«Quería que la colección fuese de gran pureza»,
explicó. «El aspecto puede ser muy simple, pero
resulta extremadamente complejo en términos
de técnica. Hay estratos literales del pasado, de la
ropa interior de estilo victoriano bajo los vestidos
transparentes cortados al bies y las chaquetas "Bar"
y los rugosos tejidos de punto, pero para mí todo
parece extrañamente futurista y curiosamente
romántico. Como si esta mujer estuviera a punto
de viajar por el espacio y el tiempo».

Las modelos llevaban gargantillas «47» en homenaje
al año en el que Christian Dior fundó su casa epónima
y el *New Look* (página 592, inferior), y la tradicional
chaqueta "Bar" se volvió a considerar con una línea
más masculina y combinada con tops de «lencería»
y pantalones cortos (derecha), precediendo a una serie
de trajes pantalón de tres piezas en raya diplomática
(página 592, superior izquierda).

Sastrería aparte, «proliferan las complejas técnicas
tradicionales de plisado del *flou*, que encuentra
su forma no solo en los vestidos, sino también
en los bajos ondulantes de las chaquetas y parkas
transformadas en satén *duchesse* con rayas horizontales»,
según las notas sobre la colección. «Los sinuosos
vestidos de organdí transparente cortados al bies
revelan unas delicadas picardías y camisas en algodón
que también pueden llevarse con ásperas prendas de
punto en Shetland recortadas; la geometría precisa
en el corte de las mangas históricas, tradicionalmente
pesadas, queda realzada por las transparencias ligeras
que contrastan con la piel».

El estudio

Creatividad colectiva

La moda se considera una ocupación solitaria: pensamos en el diseñador como un dictador, un árbitro singular del estilo. Esto no fue cierto en Christian Dior, cuyos talleres incubaron talentos entre los que se encontraban Pierre Cardin y el futuro sucesor de Dior, Yves Saint Laurent, y el mismo Dior había sido un joven prometedor en Lucien Lelong y Robert Piguet antes de fundar su propia *maison de couture*. Y a pesar de la fetichización contemporánea del diseñador estrella, hoy en día no es cierto.

Una colección de Dior, ya sea de 1947 o de 2017, es el resultado de un enorme conjunto de manos: talleres de artesanos y estudios de diseñadores. Después de la partida de Raf Simons en octubre de 2015, la casa de Christian Dior entregó las riendas a un colectivo, al estudio que había trabajado con Simons durante sus tres años en la casa. Su papel era continuar en su línea, abrir camino a un nuevo director artístico para la marca.

Durante este período interino de 12 meses, que abarcó dos colecciones de alta costura y dos de *prêt-à-porter*, el equipo del estudio estuvo liderado por un par de diseñadores suizos, Serge Ruffieux, de 41 años, y Lucie Meier, de 32. Ruffieux se había unido a Dior bajo Galliano en 2008, hasta convertirse en jefe de diseño para la línea femenina; Meier provenía de Louis Vuitton, donde trabajó durante 5 años después de un período con Nicolas Ghesquière en Balenciaga. Sin embargo, la identidad de la casa durante su liderazgo conjunto siguió las líneas trazadas por Simons: una reinterpretación contemporánea de la marca eterna de la feminidad de Christian Dior.

Más que la revolución que personificaba el *New Look*, este fue un período de crecimiento y desarrollo sutil, en el que se replantearon los códigos de la casa, antiguos y nuevos. La primera pasarela del estudio, la colección de alta costura de primavera/verano de 2016, citó la estética taquigráfica de Dior: la entallada silueta «Bar», por supuesto, a la que se unieron los estampados *panthère* y los bordados de lirios de los valles, la flor favorita de Monsieur Dior. Incluso la presentación de la *collection croisière* 2017 en Blenheim Palace siguió las tradiciones de Dior: tanto Monsieur Dior como Yves Saint Laurent habían presentado colecciones en el mismo lugar, en 1954 y 1958 respectivamente, mientras que la colección en sí jugaba con la fusión de influencias francesas y británicas que a menudo inspiraron a Dior, y más tarde a John Galliano.

En esta era, la casa de Dior fue guiada por muchos: por el dúo de diseñadores y la media docena que conformaba el fuerte equipo que les respaldaba, pero también la habilidad de *les petites mains,* los técnicos que habitan los talleres de Dior, algunos de los cuales han trabajado con Dior desde los días de Marc Bohan. Los primeros en Dior, que dirigen los talleres, son conexiones vivientes con la historia de Dior, su corazón.

Ruffieux y Meier eran muy abiertos sobre su admiración y referencia al pasado de la marca, en particular al mirar más allá del *New Look.* Su segunda colección de alta costura, presentada en julio, incluía referencias a Marc Bohan, así como a las creaciones de Art Brut de François-Xavier y Claude Lalanne, quienes colaboraron con Christian Dior en la *boutique* de la *avenue* Montaigne en torno a 1955 y con Yves Saint Laurent en 1969. Sin embargo, la arrolladora inspiración detrás de la muestra era la casa de Dior en sí misma. La colección era monocromática, con las sombras del traje «Bar» de Dior y la fotografía en blanco y negro que delinea la década definitoria de la casa bajo el diseñador que la fundó. El equipo decidió presentar la colección en los salones de alta costura del número 30 de la *avenue* Montaigne, como hiciera el mismo Dior, mientras que el diseño de las prendas era toda una oda a la experiencia, pasada y presente, de los talleres de Dior.

En ausencia de un director artístico singular, antes del nombramiento de Maria Grazia Chiuri en julio de 2016, las colecciones de este período son el producto de la casa de Dior en su conjunto. Son un homenaje al poder del trabajo en equipo, la importancia de lo colectivo y las visiones múltiples inherentes al proceso de creación de la moda, donde gracias a muchas manos, el trabajo resulta más ligero.

Alexander Fury

Lirios de los valles

La primera colección de alta costura que se presentó
después de la partida de Raf Simons fue creada
por el equipo de estudio de Dior, dirigido por los
diseñadores suizos Serge Ruffieux y Lucie Meier,
quienes decidieron evocar a «la parisina espontánea
y tranquila de hoy en día» y canalizar la modernidad
en un escenario lleno de espejos instalado en los
jardines del Museo Rodin.

«Los volúmenes son de estilo libre, la chaqueta "Bar"
cambia su aspecto dependiendo de si se lleva cerrada
o abierta; el hombro es sensual, desnudo», rezan las
notas sobre la colección. «Los símbolos y los amuletos,
la suerte y la superstición definen el mundo de esta
colección. Aparecen en los bordados sobre la tela
a modo de amuleto de la suerte, o colgados de un
collar. Este es el bestiario que tanto amaba Monsieur
Dior, así como sus talismanes de la suerte, ya que el
diseñador era un hombre supersticioso, con una fe
absoluta en su estrella de la suerte»

«Las prendas de punto que parecen encaje, lirios
de los valles bordados dispuestos de tal manera que
parecen convertirse en un estampado de pantera,
contrastes inesperados de textura y corte: detrás de
la modernidad de la nueva actitud de esta colección,
se encuentra todo el virtuosismo del saber hacer
de las vidas dentro de los talleres de alta costura
y bordado de esta casa».

«Accumulation and Trompe L'œil» («Acumulación y trampantojo»)

Esta colección, que se presentó sobre una pasarela futurista elevada dentro del Cour Carrée del Louvre, «se centra en la acumulación y el trampantojo», según anunciaba la casa.

Los escotes asimétricos, ricos bordados en alto relieve y una gran cantidad de accesorios (desde las nuevas gafas «Dior Umbrage», con lentes ligeramente tintadas de naranja, verde u hojas azules, hasta los pendientes con varios cierres y delicados anillos «con pequeñas hebillas y colorido plexiglás, vidrio y diamantes de imitación») destacaban frente a la gama cromática mayoritariamente negra de esta colección, cuya silueta principal recordaba la de la chaqueta «Bar» de 1947.

«Los motivos vegetales de un tejido chocan con las flores bordadas de una falda, los bolsos y las joyas se llevan en múltiplos, e incluso las pieles se combinan entre sí, fusionando el zorro, la chinchilla y el visón». indicaban las notas de la colección. «También hay un juego de imágenes: un peplum ondulado contrastante cosido sobre el cuello de una chaqueta parece un pañuelo, y el forro enriquecido con adornos de un vestido abrigo imita el bajo de la falda que se adivina debajo. Los efectos ópticos aluden al diseño trampantojo de Christian Dior para el verano de 1949 (*véase* página 36)».

Blenheim Palace
(Palacio Blenheim)

Sesenta y dos años después de que Dior presentara
su primera pasarela de moda en el Palacio Blenheim
frente a un público real, y de que Yves Saint Laurent
hiciera lo propio en 1958 (*véase* página 114), Dior
volvió a Oxfordshire con una colección crucero
especial inspirada en «el guardarropa de la alta
sociedad de la posguerra» y «la inquietud y la pasión
por los viajes que caracterizaron esta época: la
necesidad de viajar, de descubrir lo novedoso»,
destacaba la casa.

«La vida en la campiña inglesa se expresa en la
tradición de la caza, su reflejo en las artes decorativas
más que en la realidad. Los toques de rojo recuerdan
los *tweeds* rústicos y las crujientes popelinas de
la vestimenta de caza, y las escenas ecuestres del
siglo XIX se entretejen en los intricados Jacquards
pictóricos o se fusionan con los motivos florales
ingleses. Estos se entremezclan con ricos terciopelos
devoré y sedas con estampados, patrones y bordados
asiáticos y africanos, que subrayan una inquietud
por explorar, la curiosidad por conocer el mundo,
y una excentricidad fundamentalmente inglesa en
la vestimenta», indican las notas sobre la colección.

Los accesorios recibieron una atención particular
y los pañuelos de seda se sujetaban a los bolsos de
mano (algunos de los cuales se decoraron con una
versión actualizada del patrón en logo Dior, derecha),
se pasaban a través de los ojales o envolvían
alrededor de la muñeca al estilo de Mitzah Bricard,
la musa de Christian Dior.

«Bar» en blanco y negro

Esta colección, que se desveló en los icónicos salones
del número 30 de la *avenue* Montaigne, el mismo
edificio en el que se encontraba el taller original
de Dior, se presentó como «un retorno a los orígenes,
la fundación de la casa: los talleres».

«El traje "Bar", la esencia de Dior, es la inspiración
principal... la silueta distintiva con la falda en forma
de reloj de arena y la falda amplia», según las notas de
prensa, reinterpretada estrictamente en blanco y
negro. «El único color, el único adorno, es el escultural
bordado dorado, inspirado en los trabajos de César
y Claude Lalanne, un guiño al Art Brut», en recuerdo
a los paneles dorados de los salones.

Los diseñadores Lucie Meier y Serge Ruffieux
«comenzaron por la falda, experimentando con los
plisados y drapeados en los vestidos de noche y
las faldas largas», a la vez que «sus forros, las capas
de organza para darles cuerpo, se convirtieron en
prendas por derecho propio». «Los volúmenes del
New Look se aligeran, son más contemporáneos», y
«la chaqueta en sí se deconstruye, ya sea alargándola
en el corpiño o retrayéndola verticalmente en un
fruncido, lo que añade animación y movimiento,
un nuevo *look*, un espíritu Dior».

Pocos días después de esta presentación, Dior anunció
el nombramiento de Maria Grazia Chiuri como
directora artística para las colecciones de alta costura
femenina, *prêt-à-porter* y accesorios.

Maria Grazia Chiuri

Feminidad y feminismo

El nombre Christian Dior está inextricablemente incrustado en lo femenino. La silueta característica de la casa es el ocho, junto al que flotan los brazos, una abreviatura visual de «mujer». El universo que rodea a Dior es fundamentalmente femenino, entregado a las clientas de alta costura y sus *vendeuses*, a las costureras en los talleres, a las mujeres que confeccionaban prendas para otras mujeres. Durante la época de Monsieur Dior, un poderoso triunvirato de mujeres, Mitzah Bricard, Marguerite Carré y Raymonde Zehnacker, influyeron tanto sobre la creación del *maître*, que recibieron el apodo de las «tres musas». El mismo Dior las denominaba sus «madres», subrayando otra influencia femenina fundamental, la de su madre biológica, la inspiradora del *New Look*. Y, sin embargo, durante 69 años, la casa Dior había sido dirigida únicamente por diseñadores masculinos, dando un tono masculino a este vocabulario esencialmente femenino. Sin embargo, en el siglo XXI esto ha cambiado: en julio de 2016, Maria Grazia Chiuri, una diseñadora italiana de 51 años y antigua codirectora creativa de Valentino, fue la primera mujer en ser nombrada directora artística de Dior. Su estética, hasta ese momento, emergente, con apenas dos colecciones con su nombre, se hallaba fundamentalmente inspirada en su identidad como mujer moderna trabajadora, feminista y madre. Al igual que en el caso de Dior, la madre de Chiuri tuvo una influencia en su formación: ella era costurera, lo que despertó en la joven Maria Grazia el amor y la fascinación por la moda desde su infancia en Roma. Más tarde, Chiuri trabajaría para las dos principales casas de moda en esa ciudad, primero en Fendi, después en Valentino.

Chiuri destaca que su interés no era tanto el glamur o la fantasía de la moda, sino la realidad, la destreza detrás de la alta costura, un oficio del que fue testigo cuando era niña, viendo trabajar a su madre. Sin embargo, hoy en día Chiuri quiere poner esa técnica tanto al servicio de la belleza como de la política. «Me esfuerzo por estar atenta y abierta al mundo y crear moda que se parezca a las mujeres de hoy», declaró cuando presentó su primera colección *prêt-à-porter*.

Por su propia naturaleza, esa colección lo consiguió: Maria Grazia Chiuri es la primera directora artística en la historia de Dior en debutar con una línea *prêt-à-porter* que refleja la realidad de las prendas para la mayoría de mujeres, en contraposición al mundo de ensueño desplegado por la alta costura. De la misma manera, la colección de Chiuri estaba obsesionada no por el término «mujer» como ideal singular e inalcanzable, sino por el de «mujeres» en plural. «En realidad, el mensaje es que no hay un tipo de mujer», dijo Chiuri. Y la mezcla de sus estilos Dior, extraídos de la moda casual y de noche, deportiva o formal, para la calle o los salones, refleja las múltiples interpretaciones de las mujeres hoy en día, *su* realidad, no nuestra fantasía.

«Todos deberíamos ser feministas», rezaba una camiseta combinada con una falda primorosamente adornada con cuentas pero cómoda, en la primera pasarela de Chiuri. Muchos tacharon las ajustadas prendas encorsetadas y acolchadas como antifeministas, pero el objetivo que manisfestó el mismo Dior, después de las dificultades de la guerra, era hacer que las mujeres volvieran a soñar. En cierto sentido, su *New Look* quería empoderar, idolatrando a las mujeres, elevándolas a través de la moda. Esas faldas dieron cierta importancia a las mujeres, les dieron un espacio propio: la enfática silueta llamó la atención. Dior armó a las mujeres para enfrentarse a las exigencias de una nueva época, a través del absoluto poder del absoluto femenino.

La estética de Chiuri argumenta una pluralidad no solo para las mujeres, sino para todo Dior en su conjunto; un alejamiento de la emblemática silueta «Bar». Monsieur Dior, según argumenta, únicamente diseñó durante una década: sin embargo, ella se acercó a los muchos ojos distintos que reimaginaron a Dior, reuniendo sus distintas versiones, referencias e interpretaciones, desde Saint Laurent hasta Simons. También integró lo masculino en su femenino, inspirándose en los motivos ideados por el diseñador Hedi Slimane durante su época como director creativo de la línea masculina, Dior Homme. A través de los ojos y la interpretación de Maria Grazia Chiuri, es posible ver a Dior de nuevo, observar su *New Look* y encontrar algo novedoso.

Alexander Fury

«Dio(r)evolution)»

Para su primera colección en Dior (la primera que fue
diseñada por una mujer en toda la historia de la casa),
la diseñadora italiana Maria Grazia Chiuri declaró
que su intención era «crear moda que se pareciera
a la mujer de hoy... Una moda que se corresponda con
sus necesidades cambiantes, liberada de las categorías
estereotipadas de "masculino / femenino", "joven / no
tan joven", "razón / emoción"».

El tema central elegido fue la esgrima, «una disciplina
en la que resultan esenciales el equilibrio entre
pensamiento y acción, la armonía entre la mente y el
corazón», explicó Chiuri. «El uniforme de la esgrimista
femenina es, a excepción de algunas protecciones
especiales, el mismo que para uno masculino».

La diseñadora exploró «la forma y el contorno de
una silueta que es contemporánea, ágil y olímpica,
que muestra la elegancia de un deportista de élite»,
anunciaban las notas de prensa. El acolchado y
encorsetado del *New Look* se transformaron en este
caso en unas robustas chaquetas protectoras para
esgrima y unos *bustiers* de color piel «no opresivos»,
debajo de unos fluidos vestidos transparentes.

La icónica silueta «Bar» se versionó de una manera
más libre: «La chaqueta blanca, que acentúa la
estrechez de la cintura y el volumen de las caderas,
se lleva sobre una camiseta blanca [engalanada
con una programática consigna: "Dio(r)evolution"],
a la vez que la falda negra se reinventa en tul para
dejar entrever la lencería de punto que hay debajo»,
explicaba la casa (página 610, izquierda).

El deseo de contemplar toda la historia de la marca
y el trabajo de los diseñadores que la precedieron
fueron clave en la manera de abordarla. «En ocasiones
la gente cree que Dior solo es Monsieur Dior, pero
Dior es una marca que tiene 70 años», declaró a Tim
Blanks. «Hubo unos artistas increíbles que trabajaron
en la casa, Christian Dior solo estuvo diez años.
Después estuvieron Yves Saint Laurent, Marc Bohan,
John Galliano; para mi generación, John Galliano
en Dior es una referencia, pero también Raf Simons,
Slimane [para Dior Homme] y Gianfranco Ferré.
Así que decidí contemplar la marca de otra manera,
por una parte decidí observarla como un curador».

El motivo de abeja que decoraba las deportivas
blancas y las camisetas fue un préstamo de las
colecciones de Hedi Slimane para Dior Homme,
por ejemplo, mientras que el nuevo eslogan, «J'Adior»,
se encontraba por doquier, desde los tirantes elásticos
blanco y negro hasta las gargantillas y los pendientes
(página 611, inferior derecha), y se hacía eco de
las camisetas de John Galliano «J'Adore Dior» (*véase*
página 344) y los estampados tatú «Adiorable»
(*véase* página 391).

El mismo Christian Dior inspiró la temática de
las ricas y complejas creaciones para la noche: «Sus
talismanes de la suerte como la estrella, el corazón
y el trébol de cuatro hojas se encuentran dispersos
por doquier, los elementos cósmicos y del horóscopo
están bordados en plata sobre tul azul marino, y
los símbolos del tarot, reinterpretados en los coloridos
bordados de los vestidos de noche que cerraban la
presentación», concluía la casa.

Laberinto

Para conmemorar el septuagésimo aniversario del
New Look (*véase* página 24), la primera colección
de alta costura de Maria Grazia Chiuri para la casa
presentó el laberinto como temática y escenario.
«En los jardines del Museo Rodin, se construyó
un laberinto moderno a base de una sorprendente
cantidad de arbustos de boj», declaraba la casa. La
pasarela cubierta de musgo y reflejada en el techo
cubierto de espejos discurría alrededor de un enorme
árbol de los deseos decorado con cintas colgantes,
cartas de tarot y otros talismanes.

«Fascinada por el sinnúmero de interpretaciones que
sobre esta forma arquetípica han surgido a lo largo
de la historia, [Chiuri] se percató de que su aventura
hasta el corazón del mundo de Dior sería parecida
a adentrarse en un laberinto, con el camino salpicado
de flores, plantas e imágenes alegóricas que forman
parte de la iconografía de estos lugares, pero que,
al mismo tiempo, hacen referencia a la imaginación
de Christian Dior», anunciaban las notas de prensa.

La colección comenzó con «Esprit de Changement»
(«Espíritu de cambio») (derecha), un traje pantalón
de lana negro y satén en estilo esmoquin con una
chaqueta «Bar» con capucha. Presentada en sus
colores blanco y negro originales, la icónica «Bar»
de 1947 fue «deconstruida y reinventada, incluso
como capa» y reinterpretada en suaves plisados
ondeantes de organza.

Los vestidos de noche se crearon en delicados colores
suaves, bordados con estrellas, pintados a mano con
símbolos de tarot o animados con flores «prensadas»
entre láminas de tul. El vestido de cóctel en color
crudo con flecos bautizado como «Essence d'Herbier»
(«Esencia de herbario») (página 614, derecha) requirió
1900 horas de trabajo: sus bordados florales en rafia e
hilo se inspiraron en un original de Christian Dior, y
a pesar de ello ofrecía un aire vanguardista natural
y orgánico. «Para mí, hacer algo poético es realizar
un bordado de lujo y dejarlo inacabado para darle un
toque humano, un toque poético», explicó la diseñadora
a Suzy Menkes.

Para el final, Chiuri «imaginó un baile espléndido,
extraído de un cuento de hadas», afirmaba la casa.
Jugó con nuevos temas: «Croissant de Lune» («Luna
creciente»), con su media luna en terciopelo negro
sobre tul plisado negro y *nude* (página 615, derecha);
el conjunto final y su tocado «unicornio» (página 617,
derecha), y la revisión de los clásicos de Dior, desde
los bordados de pluma con efectos de jardín
impresionista (página 616, derecha) hasta «New
Junon» («Nueva Juno») (página 617, superior izquierda),
una nueva versión recortada del vestido «Junon»
de Christian Dior de 1949 (*véase* página 41).

También los accesorios eran ingeniosos. Claude
Lalanne «imaginó que las flores, zarzamoras y
mariposas de la joyería de los trajes aterrizarían sobre
los cuerpos dispuestos a saltar a la vida», explicaba la
casa, a la vez que Stephen Jones creó unos «sombreros
y máscaras que aportan un aspecto gótico con un
toque punk» (entre sus diseños hay tiaras de plumas,
peinados de plumas quemadas «punk», tocados «seto»
y «árboles congelados» hechos con los raquis de las
plumas de avestruz, página 615, inferior izquierda),
para complementar el «jardín secreto» de Chiuri.

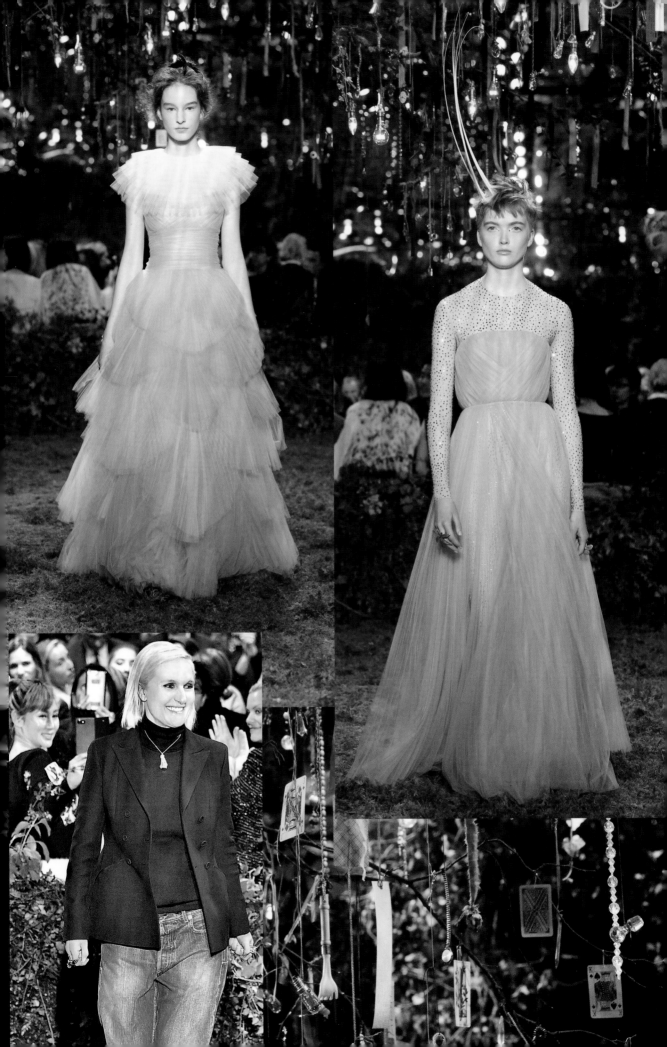

Nota bibliográfica

Para permitir una lectura fluida, hemos decidido no incluir referencias o notas al pie en el cuerpo principal del texto.

Las fuentes de las citas en la introducción, los perfiles de los diseñadores y los textos de las colecciones pueden encontrarse en las referencias que se citan a continuación.

Andrew Bolton, «John Galliano in conversation with Andrew Bolton», en *China: Through The Looking Glass*, Nueva York: The Metropolitan Museum of Art, 2015

Christian Dior, *Dior by Dior: The Autobiography of Christian Dior*, Londres: V & A Publishing, 2015

Caroline Evans, *Fashion at the Edge: Spectacle, Modernity, and Deathliness*, New Haven: Yale University Press, 2003

Caroline Evans, «John Galliano: Modernity and Spectacle», publicado en SHOWstudio, 2 de marzo de 2002 (http://showstudio.com/project/past_present_couture/essay, consultado el 27 de mayo de 2016)

Alexander Fury, entrevista con Raf Simons, Nueva York, 9 de mayo de 2014

John Galliano online: «Dior Haute Couture Fall/Winter 2009-2010 Collection» (https://www.youtube.com/watch?v=dUoW2Q6u9qI, consultado el 19 de junio de 2016)

John Galliano online: «John Galliano Explaining the Beauty of Dior» (https://www.youtube.com/watch?v=cNjXmIwIm8k, consultado el 19 de junio 2016)

John Galliano online: «The South Bank Show», enero de 1997 (https://www.youtube.com/watch?v=1dwhuCghGJE, consultado el 20 de agosto de 2016)

Bill Gaytten online Q&A, 16 de diciembre de 2011: http://us.gallianostore.com/on/demandware.store/Sites-JGUS-Site/default/Diary-Show?fid=fashion, consultado el 28 de noviembre de 2016

Robin Givhan, *The Battle of Versailles*, Nueva York: Flatiron Books, 2015

Cathy Horyn, «More More More Dior», *System*, No. 6 – otoño / invierno de 2015

Ulrich Lehmann, *Tigersprung: Fashion in Modernity*, Londres: MIT Press, 2001

Colin McDowell, conversación con John Galliano para el proyecto de SHOWstudio «Past, Present & Couture» (http://showstudio.com/project/past_present_couture/interview_transcripts, consultado el 27 de mayo de 2016)

Glenn Alexander Magee, *The Hegel Dictionary*, Londres: A & C Black, 2010

Suzy Menkes, «Ferré: Rigueur and Romance», *International Herald Tribune*, 24 de julio de 1989

Sarah Mower, Review: Christian Dior primavera / verano de 2017, Vogue.com, 30 de septiembre de 2016

Cardin, Laroche, Givenchy Called Likely Successors; Dior: Fashion»s Ten-Year Wonder Leaves Couture Leadership a Question», *The New York Times*, 25 de octubre de 1957

«Draft Date Nears for Dior Designer», *The New York Times*, 16 de agosto de 1960

Alexandra Palmer, *Dior: A New Look, A New Enterprise (1947-1957)*, Londres: V & A Publishing, 2009

Marie-France Pochna, *Christian Dior*, Nueva York: Assouline, 1996

Marie-France Pochna, *Christian Dior: The Man Who Made the World Look New*, Londres: Overlook, 2008

Alice Rawsthorn, *Yves Saint Laurent*, Londres: HarperCollins, 1996

Miles Socha, «Paris Brings Double Duty for Gaytten», *Womenswear Daily*, 29 de septiembre de 2011

Amy M. Spindler, «Among Couture Debuts, Galliano»s Is the Standout», *The New York Times*, 21 de enero de 1997

Nota: las referencias a *Vogue* corresponden a la edición estadounidense de la revista, a menos que se indique lo contrario.

Créditos de las colecciones

Marc Bohan

P/V 1980 AC – O/I 1980 AC:
Peluquería de Christophe-Carita

P/V 1982 AC – O/I 1987 AC:
Peluquería de Charles-Jacques Dessange

P/V 1988 AC – P/V 1989 AC:
Peluquería de Charles-Jacques Dessange;
maquillaje de Éliane Gouriou; escenografía
de Philippe Astruc

Gianfranco Ferré

O/I 1989 AC – P/V 1990 AC:
Peluquería de Jean-Claude Gallon

O/I 1990 AC:
Peluquería de Patrick Alès

P/V 1991 AC, P/V 1992 AC,
P/V 1993 AC – O/I 1995 AC:
Peluquería de Aldo Coppola

John Galliano

P/V 1997 AC:
Peluquería de Odile Gilbert;
maquillaje de Stéphane Marais;
sombreros de Stephen Jones

O/I 1997 AC, P/V 1998 AC,
O/I 1998 AC:
Peluquería de Odile Gilbert;
maquillaje de Stéphane Marais;
sombreros de Stephen Jones;
escenografía de Michael Howells

P/V 1998 PAP:
Peluquería de Odile Gilbert;
maquillaje de Stéphane Marais;
sombreros de Stephen Jones;
escenografía de La Mode en Images

O/I 2000 AC,
P/V 2001 AC – P/V 2007 PAP:
Peluquería de Orlando Pita;
maquillaje de Pat McGrath;
sombreros de Stephen Jones;
producido por Bureau Betak

P/V 2007 AC – O/I 2011 PAP:
Peluquería de Orlando Pita;
maquillaje de Pat McGrath;
sombreros de Stephen Jones;
escenografía de Michael Howells;
producido por Bureau Betak

Bill Gaytten

O/I 2011 AC:
Peluquería de Orlando Pita;
maquillaje de Pat McGrath;
sombreros de Stephen Jones;
escenografía de Michael Howells;
producido por Bureau Betak

P/V 2012 AC – O/I 2012 PAP:
Peluquería de Orlando Pita;
maquillaje de Pat McGrath;
sombreros de Stephen Jones;
producido por Bureau Betak

Raf Simons

O/I 2012 AC – P/V 2013 AC:
Peluquería de Guido Palau;
maquillaje de Pat McGrath;
sombreros de Stephen Jones;
producido por Bureau Betak

O/I 2013 PAP – O/I 2014 PAP:
Peluquería de Guido Palau;
maquillaje de Pat McGrath;
producido por Bureau Betak

2015 CRUCERO – P/V 2016 PAP:
Peluquería de Guido Palau;
maquillaje de Peter Philips;
producido por Bureau Betak

El estudio

P/V 2016 AC – O/I 2016 AC:
Peluquería de Guido Palau;
maquillaje de Peter Philips;
producido por Bureau Betak

Maria Grazia Chiuri

P/V 2017 PAP – P/V 2017 AC:
Peluquería de Guido Palau;
maquillaje de Peter Philips;
producido por Bureau Betak

Los créditos reflejan la información disponible
en el momento de la publicación. Estaremos
encantados de incluir cualquier información
adicional por los créditos omitidos de manera
involuntaria en reediciones posteriores.

Créditos de las fotografías

Fotografía © AGIP / Bridgeman Images: 50, 51 (inferior), 55, 87, 114

British Pathé: 115, 116

© Catwalkpictures.com: 182, 183 (inferior), 197, 198, 200-201, 202-203, 204, 206-207, 208-209, 212-213, 214-215, 216, 217 (inferior), 218-219, 220 (inferior), 221, 222-223, 224-225, 226-227, 228-229, 230-231, 232, 233 (superior izquierda e inferior), 234-235, 236, 237 (superior e inferior derecha), 239, 241 (superior derecha), 242-243, 244-245, 583 (inferior)

Diomedia / Keystone Pictures USA: 69, 142, 173 (superior izquierda), 195 (derecha)

© Christian Dior: 24, 25, 39 (inferior), 40, 82, 94-95, 113, 123, 128-129, 166, 167 (superior), 170, 171 (superior e inferior), 186, 188-189, 191, 205, 609, 610 (inferior), 611 (izquierda y superior derecha), 612, 613 (superior izquierda, inferior izquierda y superior derecha), 614 (superior izquierda), 615 (superior izquierda e inferior derecha), 616 (superior), 617 (superior)

Cortesía de Christian Dior © Adrien Dirand: 2, 614-615 (fondo), 616 (inferior, fondo), 617 (inferior, fondo)

Les Editions Jalou, *L'Officiel*, 1952: 60

The Fashion Group International, Inc.: 138-141, 144-165, 168-169

Jean-Philippe Charbonnier / Gamma-Rapho: 45 (superior), 111, 118-119, 120-121

Keystone-France / Gamma-Rapho: 173 (superior derecha e inferior), 174-175, 178

Michel Ginfray / Gamma-Rapho: 183 (superior y derecha)

Eugene Kammerman / Gamma-Rapho: 26

adoc-photos / Corbis a través de Getty Images: 72-73

Pool Arnal / Picot / Gamma-Rapho a través de Getty Images: 238

Bettmann / Getty Images: 54, 83

Walter Carone / *Paris Match* a través de Getty Images: 48-49

Jacques Dejean / Sygma a través de Getty Images: 172

Robert Doisneau / Gamma-Rapho / Getty Images: 89

Pat English / The LIFE Picture Collection / Getty Images: 28, 29 (inferior)

Nat Farbman / The LIFE Picture Collection / Getty Images: 52

Jack Garofalo / *Paris Match* a través de Getty Images: 66-67

Thurston Hopkins / Getty Images: 84-85

Maurice Jarnoux / *Paris Match* a través de Getty Images: 86

Mark Kauffman / The LIFE Premium Collection / Getty Images: 30-31

Keystone-France / Gamma-Rapho a través de Getty Images: 51 (superior), 53

Philippe Le Tellier / *Paris Match* a través de Getty Images: 96-97, 98-99, 100-101

Manuel Litran / *Paris Match* a través de Getty Images: 176, 177 (inferior)

OFF / AFP / Getty Images: 91

Popperfoto / Getty Images: 45 (inferior)

Bertrand Rindoff Petroff / Getty Images: 193

Willy Rizzof / *Paris Match* a través de Getty Images: 62-63, 64-65, 102-103, 104, 108-109, 110, 112, 117

Frank Scherschel / The LIFE Picture Collection / Getty Images: 29 (superior izquierda)

Daniel Simon / Gamma-Rapho a través de Getty Images: 233 (superior derecha)

Roger Wood / *Picture Post* / Getty Images: 59

Jean-Luce Hure: 184, 190, 192

La mode de printemps chez Christian Dior, 01 / 01 / 1954 © Institut National de l'Audiovisuel (INA) : 70-71

Les Actualités Françaises - Mode de printemps: la nouvelle ligne selon Dior, 02/03/1960. © Institut National de l'Audiovisuel (INA) : 124-125, 126-127

© Marc Riboud / Magnum Photos: 122

© Marilyn Silverstone / Magnum Photos: 105

Guy Marineau: 196

© Mark Shaw / mptvimages.com: 68, 74-75, 76-77, 78-79, 80-81, 132-133, 134-135, 136-137

AP / Press Association Images: 180

Pierre Godot / AP / Press Association Images: 143

Levy / AP / Press Association Images: 41, 194, 195 (izquierda)

Jacques Marqueton / AP / Press Association Images: 171 (derecha), 179 (derecha), 181

Stevens / AP / Press Association Images: 199

Taylor / AP / Press Association Images: 185

Reginald Gray / REX / Shutterstock: 177
(superior y derecha)

Roger-Viollet / REX / Shutterstock: 29
(superior derecha)

© Association Willy Maywalda / ADAGP, París
y DACS, Londres 2017: 32-33, 34-35, 36-37, 38, 39
(superior), 42-43, 44, 46-47, 56-57, 58, 61, 88, 90,
92-93

Topfoto: 167 (derecha e inferior)

Roger-Violleta través deTopfoto: 187

Los autores y el editor desean expresar su
agradecimiento a Olivier Bialobos, Jérôme
Gautier, Soïzic Pfaff y Perrine Scherrer en
Christian Dior por su colaboración y apoyo
en la preparación de este libro.

Gracias también a Kerry Davis y Don Ashby
en firstVIEW.

Índice de prendas, accesorios y materiales

Los números de página hacen referencia a las ilustraciones.

Accesorios

Adornos y materiales

Índice de modelos

Los números de página hacen referencia a las fotografías

Índice

BLUME

Título original *Dior Catwalk. The Complete Collections*

Diseño Fraser Muggeridge studio
Traducción María Teresa Rodríguez Fischer
Revisión de la edición en lengua española Isabel Jordana Barón
Departamento de Moda, Escola de la Dona (Barcelona)
Coordinación de la edición en lengua española
Cristina Rodríguez Fischer

Primera edición en lengua española 2023
Reimpresión 2024

© 2023 Naturart, S.A Editado por Blume
Carrer de les Alberes, 52, 2.o Vallvidrera, 08017 Barcelona
Tel.: 93 205 40 00 E-mail: info@blume.net
© 2017 Thames & Hudson Ltd., Londres
© 2017 de la introducción y los perfiles de los diseñadores Alexander Fury
© 2017, 2020 del concepto y los textos de colección de Adélia Sabatini,
Thames & Hudson Ltd., Londres
© 2017 de las fotografías, firstVIEW, salvo que se indique lo contrario

ISBN: 978-84-19499-75-2
Depósito legal: B. 2740-2023
Impreso en China

WWW.BLUME.NET